COLLECTION FOLIO

Paul Claudel

de l'Académie française

L'Échange

Première et seconde version

Mercure de France

Un jeune couple, Louis Laine, un Américain dans les veines duquel coule du sang indien, et sa femme Marthe, une paysanne française que Louis a enlevée lors de son séjour en Europe, rencontre sur la rive américaine de l'Océan un autre couple : Thomas Pollock Nageoire et Lechy Elbernon. Lui est un businessman qui a fait et refait plusieurs fois sa fortune tout seul; elle, une actrice au caractère « vamp » très prononcé. A peine a-t-il fait connaissance de Marthe que Thomas, en homme habitué à apprécier la valeur des choses et des gens, se rend compte des qualités de la femme de Louis Laine : fidélité, profondeur, courage... Aussi lui propose-t-il une « affaire », un échange : qu'elle abandonne Louis, il « ne vaut pas un cent *», et qu'elle vienne vivre avec lui, Thomas. Ayant essuyé un refus net de la part de Marthe, Pollock Nageoire espère qu'avec des dollars il trouvera en Louis Laine un allié pour réaliser son dessein.*

Tenté par l'argent, Louis l'est aussi par Lechy. Celle-ci est déjà devenue sa maîtresse et maintenant elle l'incite à quitter sa femme pour aller vivre avec elle. Malgré les exhortations de Marthe, Louis semble prêt à suivre Lechy. Mais quelques instants plus tard cette dernière revient auprès de Marthe, à présent solitaire, pour lui annoncer que, tenté par l'évasion, Louis désire l'abandonner à son tour et partir seul, grâce à l'argent de Thomas. Elle prévient Marthe qu'elle fera tuer Louis s'il met son dessein à exécution. Les efforts de Marthe pour retenir son mari se montrent vains. Aussi, quand avec Thomas, venu s'asseoir à côté d'elle, Marthe entend un coup de feu, elle devine qui en est la victime. Cependant elle ne le dit pas à Thomas, elle lui apprend seulement que, dans sa passion destructrice, Lechy songe à faire brûler son bungalow où il a déposé toute sa fortune. Mais Thomas, étrangement en paix auprès de Marthe, restera à son côté et ne courra pas sauver son argent. Sa maison se met à brûler, il assiste impassible au spectacle de sa nouvelle ruine. Alors ils aperçoivent un cheval emballé portant attaché le cadavre de Louis. Thomas attrape le cheval, détache le corps et le porte avec Marthe dans la maison de celle-ci.

L'Échange *a été écrit en 1893, alors que Claudel était un jeune consul suppléant à New York. Il en a écrit une seconde version, en style plus libre, en 1952. Les deux versions figurent dans la présente édition.*

L'Échange

PREMIÈRE VERSION

PERSONNAGES :

LOUIS LAINE

THOMAS POLLOCK NAGEOIRE

MARTHE

LECHY ELBERNON

ACTE PREMIER

L'Amérique. Littoral de l'Est. Une plage au fond d'une baie enceinte par les roches et par des collines boisées ; les arbres descendent jusqu'à la mer. La marée est basse et laisse la grève découverte. Premières heures de la matinée.

Marthe est assise sous les arbres, les yeux fixés à terre. Louis Laine, un jeune homme maigre et robuste, aux cheveux noirs et à la peau cuivrée, sort de l'eau et revient près d'elle. Il s'essuie le corps nonchalamment avec de l'herbe qu'il arrache, puis, s'accroupissant, il demeure en silence. Du menton, il fait un petit signe, montrant la ligne de l'horizon.

MARTHE

La journée qu'on voit clair et qui dure jusqu'à ce qu'elle soit finie !
Dis, Louis, toute la nuit il a plu
A verse, comme il pleut ici, et j'écoutais l'eau, songeant à tous ceux qui l'écoutent

A ce même instant, qu'ils se soient réveillés ou ceux qui ne dorment pas encore.
La mer à la marée de Minuit débordait
Avec tout son bruit, crachant contre la porte fermée.
La voilà qui s'est retirée, et deux fois elle remplira ses bords, suivant la Lune
Et le Soleil jusqu'à ce qu'il soit retiré aux hommes comme une lampe,
Afin qu'ils puissent dormir.
— Mais tu n'as point passé la nuit dehors?

LOUIS LAINE, *remettant son pantalon et sa chemise, qui est couleur sang de bœuf.*

Bah!
J'ai vu bien d'autres temps.
— Mais j'étais couché dans un lit.

MARTHE

Où étais-tu?

LOUIS LAINE

Chez eux.

Il désigne du pouce un côté de la scène derrière lui. Silence.

MARTHE

Tu as bien fait de ne pas passer la nuit dehors.

LOUIS LAINE

J'étais empêtré dans le chaud, j'étais emmêlé dans les draps!

Et je suis sorti de la maison à demi rêvant, riant, bâillant,
Et je marchais tout nu, et des pins
Les gouttes d'eau me tombaient entre l'oreille et l'épaule.
Et d'un coup je me suis jeté, la tête en avant,
Dans la mer, telle que le lait nouvellement trait.
Et étant remonté j'ai rendu mon souffle et en même temps
J'ai vu que le soleil s'était levé, et de nouveau ayant respiré à plein corps,
Culbutant entre mes genoux, je me suis enfoncé en bas.
Comme une pierre qui disparaît,
Je descends dans la profondeur de la mer.
Et tantôt je nageais, et tantôt, près du rivage, me tenant debout, je me passais les mains sur le corps du haut en bas,
Comme un homme qui se dépouille d'un vêtement.

Il se couche tout de son long sur le dos.

MARTHE

Est-ce que nous partons demain, comme tu l'avais dit?

LOUIS LAINE, *paresseusement.*

Demain...
Ah oui.
— Demain? Est-ce que j'ai dit cela?
Je ne sais ce que c'est qu'hier et que demain.
C'est assez que d'aujourd'hui pour moi.

MARTHE

Maintenant que les maîtres de la maison sont là...

Silence.

LOUIS LAINE

Je vole dans l'air comme un busard, comme Jean-le-Blanc qui plane!

Et je vois la terre paraître sous les flammes du soleil, et j'entends

Le craquement de l'illumination gagner

La terre sous la splendeur du soleil, et les fleuves qui coulent selon la bosse de son corps, et les passants qui changent de place petitement,

Et les chemins de fer, et les maisons éparses, et les villes des hommes dans la poussière.

C'est l'heure où l'ouvrier bâillant remet la courroie sur la roue, et le balancier plonge au travers du parquet.

— Mais je regarde seulement si je ne trouverai pas un lapin avant qu'il rentre au bois ou une dinde sur la branche.

MARTHE

Dis-moi,

J'aimerais mieux m'en aller, comme tu l'avais dit.

LOUIS LAINE

Pourquoi?

MARTHE

Tu disais que nous irions là-bas et nous aurions une maison à nous.

Je ferai ce que tu voudras, Louis.
— (*Profondément :*) Je n'aime pas ces gens d'ici.
Sans doute c'est très gentil qu'ils t'aient pris ainsi pour surveiller.
Mais je n'aime pas cet homme, quand il vous regarde ainsi fixement, la main dans sa poche comme s'il comptait dedans ce que vous valez.
Et cette femme, — c'est sans doute sa femme, — (*Avec expression :*) Avec ces yeux qu'elle a !
Elle ne rit jamais et toujours elle a l'air de rire.

LOUIS LAINE

Regarde, là-bas ! Eh ? au ras du cap, vois-tu ?

MARTHE

Quoi donc ?

LOUIS LAINE

La fumée ! ne vois-tu pas la fumée ? C'est la Vieille-de-dessous-la-Vague qui fait la cuisine ;
Elle a des coquillages pour oreilles. Sa cheminée dépasse quand le flot est bas.
Et les chambres sont pleines de défroques de marins, plus que les maisons de prêts sur gages ; et de montres, et de sifflets,
Et de cloches avec le nom du navire ; et de pièces d'or et d'argent que la mer a usées comme des graviers ; et de sacs de grenats.
Un jour que le chauffeur du « Narragansett »...

MARTHE, *tendrement.*

Tu as toujours des histoires à raconter !

LOUIS LAINE

Je n'ai pas été élevé
Dans les villes aux rues infinies, pleines de peuple, et de l'arbre la feuille touffue est agitée devant le ciel couleur de feu.
Une araignée
M'avait attaché par le poignet avec un fil et j'avais de l'herbe jusqu'au cou;
Et du milieu de sa toile elle me racontait des histoires, telle qu'une femme assise.
Et je connaissais les fourmis selon leur nation,
Quand elles vont et viennent comme les ouvriers qui déchargent les bateaux, comme les scieurs de bois qui s'en vont portant des planches deux par deux.
C'était chez ma nourrice.
Ensuite mon père m'avait pris avec lui à son office, mais je ne savais rien, et j'allais passer la journée dans le trou à charbon
Pour lire la Bible, et je prenais de l'argent dans la caisse;
Et il m'a chassé de la maison.
J'ai du sang d'Indien dans les veines. Ils avaient un dieu qu'ils appelaient « le Menteur »,
Parce qu'il n'est pas revenu.

MARTHE

Et c'est alors que tu as traversé l'Océan blanc
Afin que tu viennes me prendre où j'étais?

LOUIS LAINE

J'ai lu la fin d'un livre sur eux; on ne sait pas par où les hommes rouges sont venus,

N'emportant rien avec eux, dans cette terre qui était comme un fonds abandonné, et il y avait trop de place pour eux.

Et ils vivaient, faisant la guerre aux animaux qui y étaient;

Et ils les connaissaient par leur propre nom, et leurs tribus avaient fait alliance ensemble.

Mais les blancs sont venus, traversant la largeur de la mer;

Et ils ont fait un champ, et, ramassant les pierres, ils ont fait un mur autour et chacun vit à la place où il est,

Et l'ancien guerrier s'en va, comme sur l'aile de la fumée.

— Maintenant je vois les millions d'hommes qui vivent ici!

MARTHE

A quoi penses-tu?

LOUIS LAINE

Je voudrais être menuisier.

MARTHE

Menuisier?

LOUIS LAINE

Je voudrais être conducteur de diligence en Californie.

MARTHE

Il va faire chaud aujourd'hui.

Silence.

LOUIS LAINE

Il est dix heures, et le soleil monte dans la force de sa cuisse.

Ce n'est plus l'heure où l'eau des lacs a la couleur de la fleur du pommier,

Blanc avec un peu de rose, et la figure de l'enfant s'ouvre comme une rose rouge.

Mais de la gauche tu frappes les hommes avec une lumière éclatante,

Et la sueur brille sur leurs fronts, et ils te regardent en montrant les dents d'en haut.

L'active scie

Flamboie au travers de la planche, et les usines sont pleines, et les écoles ; et l'ouvrier à genoux,

Un boulon entre les dents, ramasse sa pince ; et à l'intérieur de la Bourse,

Les hommes d'argent aux yeux de sourds aboient et agitent les mains.

Et la nuit ramène la volupté.

Et le dimanche ils iront aux champs, rapportant des feuilles et des bouquets de fleurs jaunes.

Mais moi, je ne fais rien du tout le jour, et je chasse tout seul, tandis que les rayons de soleil changent d'endroit, écoutant le cri de l'écureuil.

— Et combien reste-t-il encore ?

MARTHE

Il ne reste plus rien.

LOUIS LAINE, *soulevant la tête.*

Comment ? plus rien ? Tu dis qu'il ne reste plus rien ?

MARTHE

Il ne reste plus rien.

LOUIS LAINE

Déjà!
De tout cet argent que tu avais emporté.
— Je me ferai épicier dans l'Ouest. On peut faire de la monnaie. On peut faire la banque avec les mineurs.

MARTHE, *plaintivement.*

M'aimes-tu, Laine?

LOUIS LAINE

Toujours cette question que font les femmes!

MARTHE

Les femmes? quelles femmes?

LOUIS LAINE

Est-ce que tu n'es pas une femme aussi?

MARTHE

Une femme aussi? Il n'y a pas de femmes!
Je suis malheureuse, Laine, je suis jalouse, Laine! et je voudrais toujours être avec toi.
Et quand tu t'en vas, j'en ai de la peine et du ressentiment.
Et je voudrais te suivre et être là sans que tu le saches, et savoir tout ce que tu fais.
Car peut-être que tu vas avec d'autres femmes et que tu ne me le dis pas.

La femme sans l'homme, que ferait-elle?
Mais de l'homme envers la pauvre femme, dans son cœur,
Il n'y a rien de nécessaire et de durable. Et c'est là mon doute et mon tourment.
Est-ce que les femmes ne sont pas bien bêtes?

LOUIS LAINE

Oui.

MARTHE

Mais est-ce que tu m'aimes, dis?

LOUIS LAINE

Cela me regarde.
Il est honteux à un homme de parler de ces choses quand il fait jour.

MARTHE

Laine, j'ai toujours peur pour toi,
Et je pense toujours à toi quand tu n'es pas ici,
Comme à un enfant dont on ne sait ce qu'il fait.
Car, où vont tes yeux, tes mains y sont bientôt.

LOUIS LAINE

O la fraîcheur de l'eau!
O je voudrais être comme un crapaud dans le cresson quand brille la lune sereine!
Il y a une chouette qui chante comme un coucou.
Je voudrais vivre dans l'eau profonde
— Il n'y a pas besoin de parler, à quoi cela sert-il? —

Comme un poisson, et je nagerais, ayant tout le corps au même niveau. O si tout à coup il m'éclatait des ailes!

Comme j'apprendrais à m'en servir, et, confiant dans leur coup régulier, je volerais sur le gouffre de l'air!

Je voudrais être un serpent dans l'épaisseur de l'herbe.

— Qu'as-tu à me regarder ainsi? C'est ainsi que je te trouve souvent à me regarder.

MARTHE

Je ne suis point de celles qui parlent beaucoup.

Mais j'écoute; peu de gens savent écouter. Mais le son de la voix humaine m'entre jusqu'au cœur même,

Quand les paroles n'auraient que peu de sens.

Et quand j'étais petite, on disait que j'étais bien sage, parce que je faisais attention à tout; je regardais les gens dans les yeux,

Écoutant ce qu'ils disent, et je les regardais agiter les mains, comme une petite fille

Qui regarde la bonne l'apprendre le crochet.

Et je vivais à la maison et je ne pensais point à me marier.

Et un jour tu es entré chez nous comme un oiseau

Étranger que le vent a emporté.

Et je suis devenue ta femme.

Et voici qu'en moi est entrée la passion de servir.

Et tu m'as remmenée avec toi, et je suis

Avec toi.

Voici donc ce pays qui est au-delà de l'eau!
Comme une rivière quand on est de l'autre côté.

LOUIS LAINE

N'est-ce point un beau pays?

MARTHE

O Louis Laine, je n'avais jamais vu la mer. Chez nous
Le monde ne quitte pas du pays, comme les bêtes qui vivent sur les lys.
Mais chacun porte dans son cœur, durant qu'il travaille, l'image
De sa porte et de son puits et de l'anneau où il attache le cheval.
O! et quand nous étions déjà partis, un gros bourdon
Passa autour de ma tête et déjà il filait vers la terre.

LOUIS LAINE

Je n'aime pas ce vieux pays. Ça sent le vieux comme le fond d'un vase.
Il y a trop de routes et l'on sait toujours où l'on est,
Et les gens vous regardent comme un chien qui n'a pas de collier.

MARTHE

Sept jours
Nous avons été en avant, poursuivant le soleil,
Comme quelqu'un qui tient un bouquet de fleurs jaunes à la main. Et derrière

Les grands goëlands nous accompagnaient avec des ailes tour à tour
Noires et blanches, comme l'année, et l'écume s'effaçait comme une route.
Et le soir la société sur le pont en silence
Regardait autour,
Comme du milieu d'un trou, la mer couleur de mûre.
Et le quatrième jour
L'air devint comme différent et plus pur, et dans le ciel nous vîmes le croissant d'une lune nouvelle.
Et nous sommes arrivés à la fin.

LOUIS LAINE

Si long que nous avons traversé l'eau
Aussi large la terre
S'étend entre le Sud et la limite du Nord,
Et l'Est, et à l'Ouest cet Océan que l'on appelle Pacifique.
Regarde la carte!
C'est le spacieux pays de l'après-midi, donné aux hommes à l'heure de l'exploitation.
Tu as raison, il faut que nous allions plus loin et que nous quittions cette rive de fièvre,
Et de bois entre les tristes champs de roseaux et de brouillards chaleureux. Mais c'est toi-même qui voulais rester,
Comme si tu ne voulais pas quitter les plis de la mer.
Et il fait bon ici pour chasser.
(*Mystérieusement :*) Tu t'ennuies, ma tendre amie, mais si je suis avec toi, tu ne voudrais point être ailleurs.

MARTHE

Laine, je ne m'ennuie pas! Pourquoi dis-tu cela?

Je ferai ce que tu voudras. Est-ce que je veux quelque chose de moi-même, dis?

Pourquoi me désoles-tu, me faisant un signe de l'œil, comme quelqu'un dont ne sait ce qu'il veut?

Car il y a des fois, où comme un petit enfant, tu sembles le plus sage.

Car je suis à toi, et ma passion est de taire mon service.

LOUIS LAINE

Que faut-il que je dise, Marthe?

MARTHE

Tout! Regarde si je ne te dis pas tout! Mais je suis assise devant toi.

Et je te suis connue, car je suis constante.

Dis-moi si tu aimes une autre femme et nous parlerons d'elle ensemble. Car tout ce qui t'arrive m'intéresse.

Mais tu me parles pour rire et tu me racontes des histoires.

Et parfois un esprit sombre tombe sur toi et tu restes longtemps l'œil immobile et le visage rigide.

Et quand je t'interroge, tu réponds autre chose, et tu sors de mon lit gardant la bouche fermée,

Comme on dit que l'homme considéré ne confiera point à sa femme de secret.

— O Laine, pourquoi ne m'aimes-tu pas?

LOUIS LAINE

Est-ce que je ne t'aime pas?

MARTHE

Non, non, non!

LOUIS LAINE

Est-ce que je ne t'aime pas, Douce-Amère?

MARTHE

Si tu le veux, je travaillerai pour toi.
Je ferai un champ, j'arracherai l'herbe avec les mains, j'arracherai les souches d'arbres avec la pioche et la serpe; et je sèmerai, et j'arroserai.
Et je travaillerai tant que le jour est long, et le soir tu me reprocheras toutes les choses une par une.
Et je ne penserai rien là-contre, et je serai devant toi comme devant quelqu'un de content et qui a mangé.
Mais tu ne me commandes rien et tu n'as pas souci de moi et tu me laisses faire ce que je veux!

LOUIS LAINE

« Ta robe est verte comme l'herbe, comme l'algue qu'on voit sous l'eau! »
Vois, je puis me rappeler le vert de la robe que tu avais.

Pause.

MARTHE

Je te connais du moins d'une manière où tu ne peux tromper, comme un mouton qu'on pèse, l'ayant acheté.
Je ne suis pas libre, et je suis sous tes pieds comme une barque quand le pêcheur s'y trouve.

Laine, je ne te demande point de douces paroles ni de caresses. Ce n'est point là ce que je te demande.

LOUIS LAINE

Que me demandes-tu donc?

MARTHE

Donne-moi ma part! donne-moi la part de la femme!
Les exigeantes et dures racines par qui l'arbre
Prend et vit;
Et que les autres se réjouissent de ton ombre!
Prends-moi donc et étreins-moi durement!
Car s'il ne garde point en lui
L'appétit de la terre en bas, il ne grandira point vers le soleil, avec ses branches,
S'il ne se fixe point à la place où il est.
Apprends de cette comparaison
Quelle est l'application de l'amour, et que notre union soit comme entre le bois et le feu.
Aime-moi, et tu seras comme le feu qui a sa racine en un seul lieu,
Et le vent s'y engouffre, emportant
Ses flammes comme des feuilles.

LOUIS LAINE

Je me défie de toi.
Car que fais-tu de mon âme, l'ayant prise,
Comme un oiseau qu'on prend par les ailes, tout vivant, et que l'on empêche de voir?
Peut-être que j'ai vécu une vie quelque part

pendant ce temps, peut-être que j'ai été un mendiant en Chine.

Car ton cou est brûlé par le soleil, ton épaule

Est comme la fin de la journée, et le soir est comme une table chargée d'herbes, quand l'homme se tient debout, tendant

Les bras, respirant le tout-puissant oubli!

— C'est ainsi que je me défie de toi.

MARTHE

Il se défie de moi!

LOUIS LAINE

Qui es-tu donc

Pour que je te remette ainsi mon âme entre les mains?

MARTHE

Ta mère te l'a donnée, et l'épouse est là qui la redemande.

LOUIS LAINE

Qui es-tu pour faire une telle demande?

(*Il la regarde des pieds à la tête. Marthe se tait.*)

Ma vie est à moi et je ne la donnerai pas à un autre.

Je suis jeune! j'ai toute la vie à vivre!

MARTHE

Elle ne t'a pas été donnée pour rien.

LOUIS LAINE

Je serai libre en tout! je ferai ce qu'il me plaira de faire!
Au matin quand j'ouvre les yeux,
Je me rappelle dans mon lit, et la joie entre dans mon cœur!
Parce que je suis jeune,
Parce que la longue vie est à moi, et je vois mes habits par terre.
Le ciel! le courant de l'eau!
Et le soleil qui est attaché à la Terre comme avec une corde,
Et la lune de minuit comme un coq blanc!
J'irai! j'irai!

MARTHE

Où?

LOUIS LAINE

Sous le ciel pommelé, et je mâcherai chaque herbe pour connaître le goût qu'elle a.

MARTHE

Fais cela, et peut-être tu trouveras celle qui donne l'intelligence.
Toute plante a sa saveur,
Acre ou douce selon qu'elle l'a tirée de la terre.

(*Pause. Elle fouille le sol de son talon.*)

La terre d'exil, la terre de mort sur qui descend la pluie, vers qui toute créature s'incline.
Et telle est l'odeur de la rose et de toute fleur dont on s'approche plus près,

Et la pêche qui mûrit pour qu'on la mange, et cette fleur velue qui est comme une oreille d'agneau.

Comme un papillon s'est levé devant tes pas, tout à coup ouvrant la bouche et succombant au poids de la tête,

Tu t'assoiras dans la mort.

Et des animaux les uns broutent ce qui pousse de la terre; et les autres les dévorent eux-mêmes.

Mais où est l'attache de l'homme? qui sur son ventre porte le sceau de sa naissance :

Écoute.

LOUIS LAINE

J'écoute, Douce-Amère.

MARTHE

Douce-Amère! Pourquoi m'appelles-tu de ce nom qui me fait du plaisir et de la peine?

Mais écoute! C'est une femme qui t'a mis au monde et maintenant voici une femme encore.

LOUIS LAINE

Et ainsi il faut que je t'aime toute seule?

MARTHE

Oui.

LOUIS LAINE

O la poule qui a pondu ses œufs et qui veut toujours garder ses petits sous ses ailes!

Mais regarde: ma bouche est descellée et je

respire par une contraction qui est au-dedans de moi-même.

Et je mange le pain que j'ai gagné.

Mais la femme ne peut se suffire à elle-même, et il faut que je te fasse vivre, et tu me prends ce qui est à moi.

MARTHE

C'est vrai, ce n'est pas moi qui t'ai donné la vie.

Mais je suis ici pour te la redemander. Et de là vient à l'homme devant la femme

Ce trouble, tel que de la conscience, comme dans la présence du créancier.

LOUIS LAINE

Il y a d'autres femmes que toi.

MARTHE

Ce n'est pas vrai, il n'y a pas d'autres femmes que moi!

Pourquoi dis-tu cela exprès pour me faire souffrir?

Ne te fie pas aux autres femmes! Écoute-moi, car je les connais.

Ne te fie pas aux femmes blondes, car elles sont lâches et infidèles.

Ni aux noires, car elles sont dures et jalouses. Ni aux châtaines.

Ne te fie pas aux femmes! Ne te fie pas à la figure perfide qui est pleine de lignes

Et de secrets, comme la main!

Et elles te riront, comme quelqu'un que la lune éblouit!

Mais s'il y en avait une que tu aimasses,
Dis-le-moi, et je t'expliquerai pourquoi elle n'est pas si belle que je le suis.
Car il n'y en a pas une qui t'aime comme moi et qui te connaisse comme je le fais.
Et c'est en cela que je te suis douce et amère.
— Je suis honteuse, Laine!

LOUIS LAINE

Qu'as-tu à dire encore?

MARTHE

Je suis jalouse!

LOUIS LAINE

Jalouse de qui?

MARTHE

Pourquoi ne veux-tu pas me répondre? Dis-moi que tu m'aimes toute seule.

LOUIS LAINE

Toute seule.

MARTHE

Dis-moi que tu ne connais pas d'autres femmes.

LOUIS LAINE

Aucune.

MARTHE

Jure-le!

LOUIS LAINE

Je le jure. Il est honteux de mentir.

Long silence. Entrent par le côté Thomas Pollock Nageoire et Lechy Elbernon.

LECHY ELBERNON, *criant de loin :*

Hello!

Quand ils sont arrivés tout près, Marthe se lève lentement; Louis Laine reste couché par terre, les yeux fermés.

THOMAS POLLOCK NAGEOIRE

Hello!

LECHY ELBERNON, *riant des yeux.*

Bonjour!

(*Marthe la salue silencieusement.*)

Est-ce qu'il dort? Regardez-le ainsi étendu.

(*Elle lui soulève la tête avec le pied.*)

Est-ce que vous m'entendez?
Levez-vous! Le soleil n'est pas bon quand on est couché.

LOUIS LAINE, *lui tendant la main.*

Aidez-moi!

LECHY ELBERNON

Pull up!

Ils se lèvent. Ils se regardent tous les quatre sans rien dire.

LOUIS LAINE, *à Thomas Pollock Nageoire.*

Je vous croyais encore au Canada.

THOMAS POLLOCK NAGEOIRE

Non, j'arrive de Denver.

Silence.

LOUIS LAINE

On dit que ça ne marche pas là-bas?

THOMAS POLLOCK NAGEOIRE

Yes, sir! Ils sont dans l'eau chaude, c'est positif, depuis que l'Inde a arrêté la frappe de l'argent. Le dollar vaut cinquante-quatre cents, *man!*

L'or est tout; il n'est valeur que de l'or. Personne ne croit plus à l'argent.

Moi, je l'ai toujours dit: une seule valeur, un seul prix, un seul métal.

LOUIS LAINE

Mauvais pour les affaires, hé?

THOMAS POLLOCK NAGEOIRE

Well!

LOUIS LAINE

Bon, vous êtes riche! Cela vous est égal.

THOMAS POLLOCK NAGEOIRE

Well!

MARTHE

Vous êtes commissionnaire, je crois? Comment dit-on?

THOMAS POLLOCK NAGEOIRE

Je suis tout!

J'achète tout, je vends tout. Si vous avez de vieux souliers à vendre, apportez-les-moi.

Rien n'est pour rien. Toute chose a son prix.

Ne donnez jamais rien pour rien.

Mais est-ce que vous n'avez jamais vu ma maison de New York?

Old Slip, see?

MARTHE

Non.

THOMAS POLLOCK NAGEOIRE

C'est à gauche, la vieille maison où il y a une horloge.

Il faudra que je vous montre ça.

Il y a beaucoup de choses là-dedans. Comme les dynamos sont dans le sous-sol des hôtels et comme les églises sont bâties sur les ossements des saints, toute la fondation

Contient l'or et l'argent dans les coffres-forts qui sont rangés comme des foudres, et le dépôt des titres et des valeurs.

Et comme le dimanche on envoie la petite fille chercher la bière dans un pot,

C'est ici qu'on va tirer son argent.

Et au-dessus est la caisse.

Au milieu est la caisse, et à droite est ma banque, et à gauche l'office de fret et d'armement.

Et en haut, c'est là que je suis, et là est le service télégraphique.

Toc, tac tac!

Voilà Chicago! Voilà Londres! Voilà Hambourg!
Et je suis là comme au milieu de mains qui font des signes, comme quelqu'un qui écoute et comme quelqu'un qui demande et qui répond.

LECHY ELBERNON

Hardi!
Le voilà qui allume, comme quand il a quelqu'un à enfoncer, le regard fixe comme un boxeur qui rit! Hardi, ours blanc!

LOUIS LAINE

You are pretty smart, are ye?

THOMAS POLLOCK NAGEOIRE

Well, il faut du nerf, alors que vous vendez ferme comme si vous saviez tout,
Quand je ne sais pas le temps qu'il fera demain; chaque jour a son cours, mais moi je connais les choses elles-mêmes.
J'ai fait toutes sortes de *jobs,* vous savez! Je connais tout, j'ai tout vu, j'ai tout manié, j'ai traité tout.
Et je sais comment ça se fait, et où ça pousse, et quel est le prix de transport, et quel est le stock sur le marché,
Et le taux de l'assurance, et j'ai les échéances devant les yeux, et je connais l'arithmétique aussi.
Et je suis comme un marchand dans sa boutique, comptant.
Car le commerce tient
Une balance aussi, comme la justice;

Et je suis comme l'aiguille qui est entre les plateaux.

LOUIS LAINE

Vous êtes très riche?

THOMAS POLLOCK NAGEOIRE

O!
Il n'y a pas de riches dans le commerce.
C'est mon compte dans l'inventaire, voilà tout.
C'est un chiffre dans la liquidation.

Pause. Louis Laine et Lechy Elbernon causent entre eux.

LECHY ELBERNON

Si! je veux voir votre maison! je veux voir comment vous vous êtes arrangés.

LOUIS LAINE

Voyez-vous, nous ne sommes pas riches.

LECHY ELBERNON

Ça ne fait rien! A New York, une fois nous sommes allés voir les ménages des pauvres gens, — *slumming*, on appelle, — c'était si amusant!
Venez me montrer votre maison!

Elle lui prend le bras. Ils sortent. Marthe est assise, raccommodant un vêtement d'homme qu'elle a pris par terre.

THOMAS POLLOCK NAGEOIRE

Qu'est-ce que vous faites là?

MARTHE

Vous le voyez, je raccommode.

THOMAS POLLOCK NAGEOIRE

Ce n'est pas un ouvrage de lady.

MARTHE

Eh bien, je ne suis pas une lady.

THOMAS POLLOCK NAGEOIRE

Chez nous les femmes ne travaillent pas.

(*Silence. Il la regarde.*)

Vous êtes plus âgée que lui, n'est-ce pas? Quel âge avez-vous?
Vingt-cinq ans, eh?

MARTHE

Non.

THOMAS POLLOCK NAGEOIRE

Moins ou plus?

MARTHE

Moins.

THOMAS POLLOCK NAGEOIRE

Well.

(*Silence.*)

Elopement, eh? Sauvée avec lui, eh? Le *dad* ne voulait pas, *didnt he?*

MARTHE

Cela ne vous regarde pas.

THOMAS POLLOCK NAGEOIRE

Bon, ne rougissez pas ainsi. Chez nous les filles se marient comme elles veulent.

(*Il la regarde sans rien dire.*)

Et est-ce qu'il vous bat, eh?

MARTHE

Qu'avez-vous à me questionner ainsi?

THOMAS POLLOCK NAGEOIRE

Bon, il n'y a pas de mal. Peut-être qu'il est un peu ivre quelquefois. Cependant ayez toujours un revolver.

— Et qu'est-ce que vous avez l'intention de faire?

MARTHE

Vous avez bien voulu nous prendre chez vous.

THOMAS POLLOCK NAGEOIRE

Well, et après?

MARTHE

Je ne sais pas. Est-ce que vous ne voudriez pas le prendre dans votre maison?

THOMAS POLLOCK NAGEOIRE

Écoutez-moi.

Je n'en voudrais pas pour faire marcher l'ascenseur.

MARTHE

Pourquoi dites-vous cela?

THOMAS POLLOCK NAGEOIRE

Il n'est bon à rien. Il ne vaut pas un *cent*.

MARTHE, *se levant*.

Ce n'est pas vrai! Pourquoi dites-vous cela?

THOMAS POLLOCK NAGEOIRE

Il ne sait rien faire de son argent; il ne fait pas attention à ce qu'on lui dit. Il est comme un homme qui n'a pas de poches.
— Quittez-le. Il n'y a rien à faire avec lui.

MARTHE

Comment? Mais est-ce que je ne suis pas mariée avec lui?

THOMAS POLLOCK NAGEOIRE

Bon, le divorce n'est pas fait pour rien.

(*On entend Lechy Elbernon qui rit aux éclats.*)

Moi aussi, je suis marié.
Du moins... Je ne me rappelle plus bien.
Je crois que nous avons été devant le ministre. J'étais très occupé, vous savez.
Je crois que c'était un baptiste.
Je ne me rappelle plus. Je crois que c'était un pharmacien. Bon.
Le divorce n'est pas fait pour rien, eh?

(*Silence.*)

Comment vous êtes-vous attachée à lui?

MARTHE

Cela me convenait ainsi.

(*Thomas Pollock Nageoire s'avance vers elle, et sans dire un mot lui passe le bras autour de la taille.*)

Qu'est-ce que vous faites! Laissez-moi!

Il essaye de lui prendre les mains, puis, entendant un bruit, il la lâche et se retourne d'un air bourru.

Rentrent Louis Laine et Lechy Elbernon.

LECHY ELBERNON,
les regardant d'un air ironique.

Eh bien! j'espère qu'il ne vous a pas trop ennuyée?
Où en est le « Nyack and Northern »? Est-ce qu'il vous a raconté comment il avait rompu le « corner » des suifs, comme un rhinocéros?

THOMAS POLLOCK NAGEOIRE, *grommelant.*

Nonsense!

LECHY ELBERNON

Ma chère!
Comme c'est gentil, votre maison!
Comment faites-vous pour tenir tout cela si propre sans avoir de servante?
Mais est-ce que c'est vous qui lavez le parquet?

MARTHE

Oui.

LECHY ELBERNON

Comme c'est propre! La servante ne fait pas si bien que cela chez nous.

Et comme le jardin est joli! J'ai vu le linge qui y était étendu. Monsieur Louis (*elle le regarde du coin de l'œil*)

Voulait m'empêcher d'y aller.

Mais est-ce que vous faites la lessive aussi? Oui? Comme cela doit être fatigant!

MARTHE

Je puis travailler.

LECHY ELBERNON

Moi, je suis trop délicate. *O dear!*.

Je mourrais s'il fallait que je travaille.

(*Silence.*)

Comme c'est tranquille! La mer est comme un journal qu'on a étalé, avec les lignes et les lettres.

Et là-bas, au-dessus de cette langue de terre, on voit les grands navires passer comme des châteaux de toile.

— Ma chère, nous parlions de vous. Est-ce que c'est vrai que vous n'avez jamais été au théâtre?

MARTHE

Jamais.

LECHY ELBERNON

O! Et que jamais vous n'étiez sortie de votre pays?

(*Marthe fait un signe que oui.*)

Et voici qu'il vous a emmenée ici.

Moi je connais le monde. J'ai été partout. Je suis actrice, vous savez. Je joue sur le théâtre.

Le théâtre. Vous ne savez pas ce que c'est?

MARTHE

Non.

LECHY ELBERNON

Il y a la scène et la salle.

Tout étant clos, les gens viennent là le soir, et ils sont assis par rangées les uns derrière les autres, regardant.

MARTHE

Quoi? Qu'est-ce qu'ils regardent, puisque tout est fermé?

LECHY ELBERNON

Ils regardent le rideau de la scène,

Et ce qu'il y a derrière quand il est levé.

Et il arrive quelque chose sur la scène comme si c'était vrai.

MARTHE

Mais puisque ce n'est pas vrai! C'est comme les rêves que l'on fait quand on dort.

LECHY ELBERNON

C'est ainsi qu'ils viennent au théâtre la nuit.

THOMAS POLLOCK NAGEOIRE

Elle a raison. Et quand ce serait vrai encore? Qu'est-ce que cela me fait?

LECHY ELBERNON

Je les regarde, et la salle n'est rien que de la chair vivante et habillée.

Et ils garnissent les murs comme des mouches, jusqu'au plafond.

Et je vois ces centaines de visages blancs.

L'homme s'ennuie, et l'ignorance lui est attachée depuis sa naissance.

Et ne sachant de rien comment cela commence ou finit, c'est pour cela qu'il va au théâtre.

Et il se regarde lui-même, les mains posées sur les genoux.

Et il pleure et il rit, et il n'a point envie de s'en aller.

Et je les regarde aussi, et je sais qu'il y a là le caissier qui sait que demain

On vérifiera les livres, et la mère adultère dont l'enfant vient de tomber malade,

Et celui qui vient de voler pour la première fois, et celui qui n'a rien fait de tout le jour.

Et ils regardent et écoutent comme s'ils dormaient.

MARTHE

L'œil est fait pour voir et l'oreille
Pour entendre la vérité.

LECHY ELBERNON

Qu'est-ce que la vérité? Est-ce qu'elle n'a pas dix-sept enveloppes, comme les oignons?

Qui voit les choses comme elles sont? L'œil certes voit, l'oreille entend.

Mais l'esprit tout seul connaît. Et c'est pourquoi l'homme veut voir des yeux et connaître des oreilles
Ce qu'il porte dans son esprit, — l'en ayant fait sortir.
Et c'est ainsi que je me montre sur la scène.

MARTHE

Est-ce que vous n'êtes point honteuse?

LECHY ELBERNON

Je n'ai point honte! mais je me montre, et je suis toute à tous.
Ils m'écoutent et ils pensent ce que je dis; ils me regardent et j'entre dans leur âme comme dans une maison vide.
C'est moi qui joue les femmes :
La jeune fille, et l'épouse vertueuse qui a une veine bleue sur la tempe, et la courtisane trompée.
Et quand je crie, j'entends toute la salle gémir.

MARTHE

Comme ses yeux brillent! Ne me regardez pas ainsi fixement.

LECHY ELBERNON

Ma chère! je vous aime beaucoup!
Pourquoi ne venez-vous pas me voir?
Venez. J'ai quelque chose à vous dire.

THOMAS POLLOCK NAGEOIRE,
à Louis Laine.

Moi aussi, j'ai à vous parler.

Les deux femmes sortent.

THOMAS POLLOCK NAGEOIRE,
retirant de la poche à revolver de son pantalon une poignée de billets et les mettant sous le nez de Louis Laine.

Qu'est-ce que ça, gentleman?

LOUIS LAINE, *le repoussant.*

Get away! Qu'est-ce que c'est qu'il a retiré là?

THOMAS POLLOCK NAGEOIRE,
flairant le papier.

Hum! Oui, cela a passé par beaucoup de mains.
Je ne trouve pas que cela sente mauvais.
— Qu'est-ce que c'est que ça, gentleman?

LOUIS LAINE

Eh bien, c'est du papier.

THOMAS POLLOCK NAGEOIRE

Oui, mais regardez ce qu'on a imprimé dessus : DOLLAR.
Et voyez combien cela fait. (*Il feuillette la liasse.*)
Un, cinquante, cinquante, dix, un, un, vingt, deux, cinq, cent...

LOUIS LAINE

Eh, il y en a beaucoup.

THOMAS POLLOCK NAGEOIRE,
le regardant fixement.

See, man!
Vous dites qu'une chose pèse tant, eh?

Tant de livres; et que vous avez tant de *bushels* de grain en stock, tant de gallons de pétrole;
Et combien tout cela vaut de dollars.
Car comme tout
A
Un poids et une mesure, tout vaut
Tant.
Toute chose qui peut être possédée et cédée à un autre prix. Tant de dollars.

LOUIS LAINE

Well! je n'ai jamais eu que quelques pauvres petits billets dans mon gousset, comme du papier à cigarettes.
Mais regardez le paquet qu'il a retiré de sa poche!

THOMAS POLLOCK NAGEOIRE

Écoutez bien.
Celui qui possède une chose n'a que cette chose-là même, et il n'en a point d'autre.
Mais cette chose *vaut*, et en elle il possède ceci, qu'il peut avoir autre chose à la place.
Et il n'y a pas de chose qui soit toujours bonne. Comme quand on n'a plus faim, il ne paraît plus bon de manger. Et alors il peut la céder à un autre pour son prix.

LOUIS LAINE

On ne peut pas tout avoir.

THOMAS POLLOCK NAGEOIRE

On peut tout avoir pour son prix. Dans la vertu de l'argent on peut tout avoir.

LOUIS LAINE
regardant le paquet de dollars.

Well!

THOMAS POLLOCK NAGEOIRE,
le regardant fixement.

Ayez seulement de l'argent!

LOUIS LAINE,
regardant les dollars.

Well, sir!

THOMAS POLLOCK NAGEOIRE,
violemment.

Cash.

LOUIS LAINE

Well, sir!

THOMAS POLLOCK NAGEOIRE,
lui mettant les dollars dans les mains.

Take that, man!

LOUIS LAINE,
fermant à demi les doigts sur les dollars.

Comment? comment? Qu'est-ce que vous faites? Pourquoi me donnez-vous cela? Je ne veux pas.

THOMAS POLLOCK NAGEOIRE

Take that, man, I say! Prenez cela, je vous dis! Qu'est-ce que c'est qu'un petit millier de dollars pour moi?

(*Violemment :*) Et il y en aura d'autres! Fourrez-moi ça dans vos poches.

(*Louis Laine fourre l'argent dans sa poche.*)

Et maintenant écoutez-moi, Monsieur! Quel âge avez-vous?

LOUIS LAINE

Vingt ans.

THOMAS POLLOCK NAGEOIRE

Vingt ans.

(*Silence.*)

Hum! Pris l'argent du *boss*, eh?

LOUIS LAINE

J'étais chez mon père. Il fait la banque dans l'Ouest.

THOMAS POLLOCK NAGEOIRE

Écoutez-moi. Que voulez-vous faire? Parlez-moi franchement, car je puis vous rendre service.

LOUIS LAINE

Je ne sais pas.

Il fait comme s'il voulait parler, puis il indique tout l'horizon d'un grand geste de bras et sourit.

THOMAS POLLOCK NAGEOIRE

Bon, j'ai été comme cela. Je ne pouvais pas rester à la même place à faire la même chose.
Mais, voilà! Vous avez une femme, voilà!

LOUIS LAINE

Bon, elle fait tout ce que je veux.

THOMAS POLLOCK NAGEOIRE

O ! attendez qu'elle ait des enfants :
Vous êtes pris.
C'est sérieux maintenant, il faut faire vivre ça.
Faites de la viande, faites des souliers, faites des habits, Monsieur ! Payez, payez, payez !
Vous n'avez plus rien à vous. Vous n'êtes plus à vous vous-même, ni jour, ni nuit.
Il faudra travailler comme un cheval de mine. Et personne ne voudra de vous.

LOUIS LAINE

Pensez-vous que personne ne veuille de moi ?

THOMAS POLLOCK NAGEOIRE

Je vous dis la vérité : non.

LOUIS LAINE

Mais comment est-ce qu'il faut faire, alors ?

THOMAS POLLOCK NAGEOIRE

Je ne sais.

LOUIS LAINE

Je n'aurais pas dû me marier !

THOMAS POLLOCK NAGEOIRE

Vous n'avez pas un sou.
Ah ! vous verrez si c'est facile que de faire de l'argent.

Sans argent, c'est comme de gratter la terre avec ses ongles.
Vous êtes pris.
Ah! ah! voilà qu'on vous a mis la main dessus. Vous n'irez plus où vous voulez aller.

LOUIS LAINE

J'irai! Personne ne m'a mis la main dessus!

THOMAS POLLOCK NAGEOIRE

Well!

LOUIS LAINE

Je suis libre! Personne ne m'a mis la main dessus! Ma vie est à moi et non aux autres.

THOMAS POLLOCK NAGEOIRE

Qu'est-ce qu'une femme? Il y a bien des femmes au monde et il n'y en a pas qu'une.

LOUIS LAINE

C'est elle qui a voulu que je l'emmène avec moi.

THOMAS POLLOCK NAGEOIRE,
retirant de sa poche
une poignée de sous et de pièces d'argent
avec une passion contenue.

Regardez ça! Qu'est-ce que c'est que ces sous, gentleman?
Ça,
C'est la vie, ça, c'est la liberté pour toujours!
Ne me refusez pas ce que je vous demanderai! Je vous donnerai ce qu'il vous faudra.

Il soupire profondément et ouvre la bouche, regardant toujours Laine en face. Silence.

THOMAS POLLOCK NAGEOIRE,
regardant Laine d'un air terrible.

Pensez-y, jeune homme!
Je suis un homme religieux, mais si je veux avoir une chose,
L'enfer ne m'arrêtera pas, et je ne me ferai pas damner pour rien!
Vous êtes Louis Laine et je suis Thomas Pollock.
Ne vous mettez pas devant moi! Car la passion d'un homme n'est pas celle d'un enfant, et je n'ai pas de temps à perdre.
Oui, quand la mort serait là, ou que je sois blâmé!
Qu'avez-vous à vous embarrasser d'une femme,
Pour la rendre malheureuse, et pour que vous soyez misérables tous les deux?
— Venez déjeuner avec moi.
— Hé?
Je vous donnerai ce qu'il vous faudra. Libre pour toujours, comprenez-vous?
— J'ai été comme cela aussi.

LOUIS LAINE

Je ne sais ce que vous voulez dire.

Pause.

THOMAS POLLOCK NAGEOIRE

J'ai été comme cela moi-même, mais j'ai eu bientôt compris qu'avant tout

Il est bon d'avoir de l'argent à la banque.
Glorifié soit le Seigneur qui a donné le dollar à l'homme,
Afin que chacun puisse vendre ce qu'il a et se procurer ce qu'il désire,
Et que chacun vive d'une manière décente et confortable, amen!
L'argent est tout; il faut avoir de l'argent; c'est comme une main de femme avec ses doigts.
Voyez-vous, faites de la monnaie.

LOUIS LAINE

Je veux bien!

THOMAS POLLOCK NAGEOIRE

Faites de la monnaie!
J'ai commencé sans le sou, moi! Mais je n'avais pas de femme.
Et deux ou trois fois, d'un coup,
J'ai perdu tout ce que j'avais, *lots of fun!*
Il y a de tout ici, prenez à même, vendez, mettez votre nom sur votre chapeau.
Car c'est ici le marché où la vieille Europe achète.
Ils grouillent noir là-bas, et ils n'ont plus assez à manger.
Allez dans l'Ouest, achetez un ranch!
Faites un sillon, allant tout le jour dans le même sens, et semez-y le blé, semez-y le maïs!
Le blé indien, qui a plus que la taille d'un homme emplumé, présentant l'épi énorme et aigu.
Élevez une mer de cochons.

Peut-être que je me suis trompé sur vous; vous comprenez la valeur de l'argent.
Faites de la banque, achetez pour vendre! Ou faites n'importe quoi, car un homme adroit peut faire tout;
Mais faites de la monnaie! — Bon, restez à déjeuner avec moi.
Voilà les ladies qui reviennent.

Entrent Marthe et Lechy Elbernon.

LECHY ELBERNON

Vous êtes une femme étrange. Pourquoi?
Pourquoi restez-vous ici? Pourquoi ne voulez-vous pas venir à la maison, comme je vous l'ai demandé, au lieu que de rester dans cette mauvaise cabane!
Au moins dînez-vous avec nous ce matin?

MARTHE

Excusez-moi.

LECHY ELBERNON

Comment?

MARTHE

Louis ira. Je ne puis. Je ne me sens pas bien.

LECHY ELBERNON,
montrant un papillon sur l'herbe.

Quelque papillon noir?

MARTHE, *montrant le papillon.*

Regardez! Quand il vole, il est noir,
Et quand il se pose, il est couleur de poussière.
— Mon mari m'a dit qu'il avait passé la nuit chez vous.

LECHY ELBERNON

Oui.

MARTHE

J'étais toute seule, et quel orage il a fait!
Et j'écoutais de l'autre côté de la porte
La mer laborieuse, effrénée, et tout le long de la côte, au loin,
Les vagues qui tonnent dans les fentes de la pierre; et le triple éclair qui emplit la maison alors qu'on attend le coup; et l'intarissable ruissellement de la pluie.
Et toujours la force du vent qui passe,
Aplatissant la forêt comme un champ de maïs.
On ne sait ce que c'est; mais cela souffle, comme quand on souffle.

Elle souffle sur sa main.

LECHY ELBERNON,
regardant Laine du coin de l'œil.

Nous avons entendu;
Le grand saule qui était au-dessus de l'écurie a été déraciné.

MARTHE

C'est ainsi que la mer,

Comme quelque chose qui a peur, avertit les mauvaises consciences. Je me rappelle quand nous étions au milieu!

De la porte nous voyions comme un champ où il reste de la neige, et la mer en désordre sous la pluie, et l'étendue funéraire.

Qui sait pourquoi le vent souffle? pourquoi, quand les eaux se déchaînent et s'apaisent? — La lumière créée

Suspend son pas au zénith, couvrant de splendeur l'étendue qui la réfléchit.

Et le flot s'est retiré au plus loin

Avant qu'il ne revienne ici même. Mais cette peine

Demeure et ne se retire point de mon cœur.

Toute la grève est parsemée de morceaux de bois et de branches où restent des feuilles.

LECHY ELBERNON

Il est midi et la journée est partagée en deux.

Le soleil dévore l'ombre de nos corps, marquant l'heure qui n'est point l'heure : midi.

Et voici que l'ombre tourne, changeant de côté.

LOUIS LAINE

Si cette brise ne tombe pas, nous pourrions faire une jolie promenade ce soir dans le bateau.

THOMAS POLLOCK NAGEOIRE

Nonsense! C'est aujourd'hui le Sabbath.

LECHY ELBERNON

Tommy!

THOMAS POLLOCK NAGEOIRE

Well!

LECHY ELBERNON

Il a trouvé son salut tout fait.

C'est pourquoi il a fait sa fortune, car il faut bien faire quelque chose.

LOUIS LAINE

Comme je passais à cheval, traversant le Nord-Missouri,

Sur le chemin au milieu d'un très immense marais,

Je rencontrai un misérable en haillons, tout couvert de boue rouge, et qui avait la barbe comme de la vieille herbe d'hiver.

Et il me demandait à manger,

Parlant et se mettant les doigts dans la bouche, et je ne vis jamais gueule si large et si profonde!

Et il me dit qu'il y a un an, jour pour jour, comme il se trouvait là,

Un voyageur comme moi, qui passait,

Lui avait jeté une poignée de monnaie.

Et une partie était tombée sur le chemin et il l'avait ramassée; et l'autre partie

Était tombée dans le marais, et il cherchait depuis ce temps-là, et il n'avait pu retrouver tout encore.

Et il me demandait à manger, et il disait

Qu'il me donnerait sa « Grâce-de-Dieu » pour cela,

Mais je n'avais que quatre épis de maïs dans les fontes, et trente milles encore jusqu'à *Horses heads*.

Sa « Grâce-de-Dieu »! Qu'est-ce que cela veut dire?

THOMAS POLLOCK NAGEOIRE

Et vous avez refusé?
Je ne mettrai jamais d'argent avec vous dans une affaire.
Que saviez-vous? C'était toujours bon à prendre.

LECHY ELBERNON

C'est ainsi que tous quatre nous échangeons des paroles,
Nous tenant debout ensemble, et nos yeux s'en vont de l'un à l'autre;
La boucle livre des paroles et l'oreille les reçoit.
Mais j'ai l'oreille fine comme une pie! et les Gypsies qui ont la pointe de l'œil recourbée
(Car j'ai vécu avec elles un temps), m'ont dit
Que si, perçant la pierre de la tombe, j'y appliquais l'oreille,
Je finirais par entendre les morts au fond,
Car ils parlent ensemble, d'argent.
Et j'écoute, et j'entends entre nos paroles trois bruits :
La rumeur de la mer,
Et un petit frémissement dans les feuilles, comme le souffle de quelqu'un qui dort, et le cri
Des locustes dans l'herbe haute.
Mais je puis pénétrer jusqu'à l'âme, car la parole
Répond dans la pensée des autres;
Comme quand je joue je sais ce que l'autre répondra.

Car, comme il y a une harmonie entre les couleurs, il y en a une entre les voix.

Et, comme entre les voix, il y a un concert entre les âmes, qu'elles se haïssent ou s'aiment.

Et nous, tous quatre, nous avons les cheveux noirs, et c'est ainsi que nous sommes réunis

Comme des ouvriers qu'on a loués pour travailler à une même pièce.

Ah! ah!

Rangeons-nous en rond, comme font les enfants quand ils comptent pour savoir lequel sera pris.

Elle compte :

Akkeri ekkeri ukeri an
Fillassi fullasi — Nicolas John
Quebee quabee — Irishman
Stingle'em, stangle'em — buck!

Pause.

THOMAS POLLOCK NAGEOIRE

Well! Allons dîner.

Ils sortent.

ACTE II

Même scène. L'après-midi du même jour.

Entre Louis Laine. Marthe est assise devant la cabane ; elle fait tomber quelques miettes de pain qui sont restées sur sa robe.

LOUIS LAINE

Eh bien! tu as dîné?

MARTHE

Je n'avais pas faim.

LOUIS LAINE

Un morceau de pain sec, hé? C'est pour me faire honte d'avoir été chez eux?

Et tu te fais ton pain toi-même! car tu ne peux pas manger le même que les autres.

MARTHE

Je ne puis pas manger le pain qu'on fait ici, il n'est pas cuit.

LOUIS LAINE

Et pourquoi es-tu toujours à travailler? Ce n'est pas moi qui te le demande.

MARTHE

Mais il n'y a personne pour nous servir.

LOUIS LAINE

Et pourquoi es-tu toujours mal habillée? J'étais honteux tout à l'heure
Devant eux. Regarde la robe que tu as!

MARTHE

Elle est assez bonne pour moi.

LOUIS LAINE

Pourquoi n'es-tu pas venue dîner avec nous?

MARTHE

Je ne veux pas manger avec eux.

LOUIS LAINE

Pourquoi? qu'est-ce que tu as contre eux? Voyons, parle!
Ils ne nous ont jamais fait que du bien. Ils t'invitent gentiment, et tu refuses avec grossièreté. Tu es restée de ton pays.

MARTHE

Je ne mangerai point avec eux.

LOUIS LAINE

Pourquoi, mauvaise? Voyons! dis ce que tu as à dire!
Ils te valent bien.
Qu'est-ce que c'est que ces manières que tu fais? Vous aimez mieux manger votre pain toute seule, pas vrai?
Mais c'est pour me contrarier, parce que tu crois que j'aime à aller chez eux.
Mais tu es jalouse de tout ce qui m'amuse.
Et cela ne m'amuse pas, mais je le fais, cependant, vois,
Parce que c'est mon intérêt. Mais toi,
Tu n'es qu'une égoïste, voilà tout.

MARTHE

Laine, pourquoi me parles-tu ainsi?
Pourquoi veux-tu que je voie cette femme?

LOUIS LAINE

Cette femme! tu pourrais être polie.
Elle te vaut bien! O je sais ce que tu veux dire! mais il ne faut pas parler sans savoir.
Ce n'est pas ce que tu crois, elle m'a tout expliqué.
Mais tu te penses plus raisonnable que tout le monde.
Ce n'est pas tout que d'être terre à terre. Il y a l'intelligence!
Elle m'écoute quand je parle, et l'on peut causer avec elle, et elle ne trouve pas que je suis un fou.

MARTHE

O! Je n'ai jamais dit que tu étais un fou, Louis! (*Elle pleure.*)

Ce n'est pas ma faute si je ne suis pas plus intelligente.

LOUIS LAINE

Allons, ne pleure pas! Voyons! Ne pleure pas, voyons!

C'est vrai, j'ai été brutal. Pardonne-moi.

MARTHE

Tu n'es plus le même que tu étais.

LOUIS LAINE

Douce-Amère, tu es simple et débonnaire.

Tu es constante et unie, et on ne t'étonnera point avec des paroles exagérées. Telle tu fus et telle tu es encore.

Ce que tu as à dire, tu le dis. Tu es comme une lampe allumée, et où tu es, il fait clair.

C'est pourquoi il arrive que j'ai peur et je voudrais me cacher de toi.

MARTHE

Peur? de moi? Est-ce que je puis te faire du mal? et que craindrais-tu de me découvrir?

LOUIS LAINE

Oui.

Tu sembles bien sage, et cependant il faut qu'il y ait un vice en toi.

Car
Comment se serait-il fait que tu m'eusses aimé, moi qui n'étais qu'un enfant,
Et quelqu'un qui vient d'on ne sait où? Car tu ne savais pas qui j'étais.
Mais je n'ai eu qu'à te prendre la main et tu es venue avec moi.
Quelle honte cela a dû faire!
Car quelqu'un qui t'aurait vue eût pensé
Que tu eusses épousé qui tes parents t'auraient dit et que tu eusses été contente d'être sa femme.
Oui, j'étais un étranger, et si un autre fût venu...
Sans doute que tu t'ennuyais chez toi.

MARTHE

Laine, tu ne parles pas ainsi de toi-même! Pourquoi m'humilies-tu ainsi?
Est-ce que j'ai fait mal de t'aimer? et ne t'ai-je pas épousé légitimement?

LOUIS LAINE

Je n'étais qu'un enfant. Mais toi, tu aurais dû savoir et ne pas écouter ainsi ce que je te disais.

MARTHE

Il est trop tard! Rappelle-toi ce que je t'ai répondu : « Me voici et je t'appartiens!
« Prends garde à moi! Car tu me garderas toujours avec toi, que je te paraisse douce ou déplaisante! Et je serai suspendue à toi, bien lourde. »
Et tu me disais que tu m'aimais.

LOUIS LAINE

Certes, je t'aimais! et je t'aime bien encore.
Va, Marthe, je ne te ferai point de reproche.
Mais c'est moi qui ai agi étourdiment! Jamais je n'aurais dû t'épouser.
L'homme a des devoirs. J'ai pris des devoirs envers toi. Oui, je ne les méconnais pas.
Mais je ne puis pas les remplir.
Je ne puis pas te faire vivre. Cela va bien encore maintenant, mais comment est-ce que nous ferons quand nous aurons des enfants, y as-tu songé?
Il faut songer à l'avenir aussi.
Laisse-moi aller! Laisse-moi aller et ne me retiens pas, comme quelqu'un qu'on tient par la main, lui éclairant la figure avec une lumière!
J'irai là où il n'y a personne avec moi.
Est-ce que je puis te faire vivre? Regarde, qu'est-ce que je sais faire? J'ai demandé à Thomas Pollock Nageoire
Si j'étais capable de faire quelque chose, et il m'a dit que non.

Silence.

MARTHE

C'est ce qu'il me disait aussi tout à l'heure.

LOUIS LAINE

Vraiment? Est-ce qu'il t'a parlé de cela déjà?

MARTHE

Déjà?

LOUIS LAINE

Dis. Qu'est-ce que tu penses de lui?

MARTHE

Je pense qu'il est fort riche.

LOUIS LAINE

Riche? Il est riche comme un roi!

MARTHE

Oui.

LOUIS LAINE

Une poussée terrible! C'est comme les *tugs;* il y en a qui poussent et il y en a qui tirent.

MARTHE

Oui.

LOUIS LAINE

On parle de lui partout! Quel nerf! Quel coup d'œil! Si riche, si simple!

J'ai été surpris de voir qu'il pouvait aimer quelqu'un.

Et un vrai roi, je te dis!

MARTHE

Oui.

LOUIS LAINE

Il a donné cent mille dollars à l'hôpital des Éthiques. — Je ne me rappelle plus, je crois que c'est une société de culture.

Un roi!

Il prend d'une main et il donne de l'autre. Et celle qu'il épouserait...

MARTHE

Comment? est-ce qu'il n'est pas marié déjà?

LOUIS LAINE

Marié! marié!
Tu ne vois pas les choses comme il faut.
Le mariage est un contrat et il se dissout par le consentement des parties.
Eh bien!
— Pour Lechy, elle ne tient pas à rester sa femme.
Tu sais, c'est une artiste, et elle dit que je suis un artiste aussi; elle ne tient pas à l'argent. Et il ne l'a jamais aimée.
Il l'a, eh bien, comme on a un cheval.

MARTHE

Oui.

LOUIS LAINE

Ce n'est pas la même chose! C'est un homme réfléchi et qui ne laissera point capricieusement ce qu'il a aimé une fois pour de bon.
Avoir
Une femme simple et douce, voilà! — Je voudrais que tu fusses heureuse, Marthe!
Je voudrais avoir réparé ce tort que je t'ai fait.
— Écoute. Peut-être que tu sais déjà ce que je vais dire?

MARTHE

Peut-être que je le sais?

LOUIS LAINE

Écoute, et ne prends point à mal ce que je vais te dire, et songe que cela m'est bien dur.

Mais réfléchis, et peut-être que tu as déjà réfléchi.

— Je ne sais ce qu'il t'a dit ce matin.

Regarde-moi bien et vois si tu as à attendre de moi

Autre chose que tourment et peine.

Car un esprit terrestre est en moi et la raison n'y peut rien.

Et tu ne feras pas de moi ce que tu voudras.

Laisse-moi aller et ne t'attache point à moi.

— Je ne sais ce qu'il t'a dit ce matin.

Mais

Si c'est qu'il aurait voulu de toi pour être sa femme...

MARTHE

Ho! ho!

Reconnais mon visage! Regarde ce visage qui vers le tien se tournait avec révérence!

Regarde le visage de ta femme et vois-le couvert du feu de la honte!

O rougeur insolente! O rouge,

Voilà que tu éclates, en sorte que ma figure en est toute épanouie!

Afflue, chaleur! Éclate, ô sang! Flamboie, visage outragé!

Louis, tu as fait une chose honteuse! Voilà que tu as vendu ta femme pour de l'argent.

Tu dis que tu ne sais ce qu'il m'a dit, mais il ne m'a rien dit.

Mais, sans dire un mot, il m'a saisie avec les mains comme une chose qui est à celui qui la prend.

— Si j'étais le chien qui couche sur tes pieds,

Ou le cheval, vieux serviteur qu'il est temps de vendre pour qu'on l'abatte,

Tu ne remettrais pas la corde dans la main de l'acheteur

Sans quelque petite peine peut-être.

Mais tu désires ardemment être délivré de moi, et l'argent est autant de gagné.

Malheur à moi!

Je me suis donnée à toi, et malheur à moi parce que tu m'as vendue,

Me mettant la main sur le dos, comme une bête qu'on vend sur pied! Et voilà que tu es content,

Comme un père de famille, qui, ayant conclu un marché et repassant chaque point dans son esprit, se sent rempli de joie,

Car il pense qu'il est le gagnant et non pas celui qui a perdu.

LOUIS LAINE

Marthe!

MARTHE

O maison!

O lit des parents morts où personne ne couchait plus et table qui étais dans la salle à manger!

O demeure paternelle au-delà de ces eaux, et murs d'où les arbres dépassent!

Considérez ce traitement injurieux.

O injure!

O injure! ô soufflet sur la bouche! ô coup! ô amour méprisé! ô haine dans le cœur de celui qui m'est très cher!

O Laine, je te vois tout à coup, en sorte que j'en suis éblouie!

Ne me hais pas!

Que t'ai-je fait? ne me hais pas parce que je ne te suis pas douce, mais amère!

Je suis en ton pouvoir. Ne me livre pas à un autre!

Ne me conduis pas à lui par la main, disant :

« Elle est à toi.

« Regarde, prends! Et toi, demeure avec lui et il te fera entrer dans sa chambre. »

LOUIS LAINE

Marthe!

MARTHE

Honte! honte! ô honte!

LOUIS LAINE

Ne me parle pas ainsi!

MARTHE

Je te le dis, tu as mal fait.

Tu dis que tu ne veux pas me donner de la peine et de la douleur,

Mais c'est cela même que j'attends de toi et cette part est la mienne.

L'enfant

Crie et joue en liberté, et il aime à manger ce qui lui paraît bon et à dormir son soûl.

Mais c'est raison qu'arrivant à l'âge dû le jeune homme
Ressente, voyant le visage de la femme,
Cette joie,
Et qu'en lui comme une puissance s'émeuve et qu'il la regarde, comme la nuit en avril
Sous la foudre on voit le jardin blanc.
Sagement la Nature l'a disposé ainsi.
Car c'est une chose belle et excellente, et c'est raison qu'il l'embrasse avec des pleurs et des sanglots.
Car il était seul et maître de lui-même,
Et voilà que quelqu'un est toujours là, partageant même son lit quand il dort, et la jalousie le presse et l'enserre.
Il était oisif, et il faut qu'il travaille tant qu'il peut;
Insouciant, et voici l'inquiétude.
Et ce qu'il gagne n'est pas pour lui, et il ne lui reste rien.
Et il s'habille mal et il ne prend plus soin de lui-même.
Et il vieillit pendant que ses enfants grandissent,
Et la beauté de sa femme, où est-elle?
Elle passe sa vie dans la douleur et elle n'apporte que cela avec elle,
Et qui aura ce courage, qu'il l'aime?
Et l'homme n'a point d'autre épouse, et celle-là lui a été donnée, et il est bien qu'il l'embrasse avec des larmes et des baisers.
Et elle lui donnera de l'argent pour qu'il l'épouse.
— Ne me laisse pas, Louis! ne me vends pas!

Ne me laisse pas parce que je suis amère, mais je suis douce aussi!

Mets-toi à genoux et je me mettrai à genoux!

Et considère mon âme et, m'émerveillant, je prendrai la tienne avec vénération

Dans mes bras, m'étant mise à genoux, parce qu'elle est la création de Dieu,

Et son dépôt contre mon cœur entre mes deux bras.

Malheureuse! Que dirais-je? car tu tournes tout ce que je dis à mal.

O Laine, j'ai un grand amour pour toi!

Ne me rejette pas, m'ayant prise de mon pays comme une servante que l'on engage.

Car j'ai un grand désir de servir et il n'est rien de si bas en quoi je ne le veuille!

Ne me hais pas, Laine! ne me rejette pas, car je suis ta femme! Ne dis pas que tu ne m'aimes point!

Entre Lechy Elbernon.

LECHY ELBERNON, *à Louis Laine.*

Comment! vous êtes ici! est-ce pour cela que vous nous avez quittés si vite?

LOUIS LAINE

Excusez-moi.

LECHY ELBERNON, *à Marthe.*

Voyez! il ne peut se passer de vous un instant.

Mais c'est très mal de ne pas nous le laisser un peu.

Comment! vous avez pleuré! et lui, quel air morose il a!

Ah! Ah!

Querelles d'amoureux!

MARTHE

Je n'ai pas pleuré.

LECHY ELBERNON, *la regardant.*

Je ne vous trouve pas laide du tout, moi, Marthe! Mais combien y a-t-il de temps que vous êtes mariés?

MARTHE, *à voix basse.*

Six mois.

LECHY ELBERNON

Six mois? c'est peu. C'est peu! Mais qui peut se vanter d'avoir quelque chose pour toujours à soi?

Ah ah! ah ah!

J'ai envie de vous dire quelque chose et je ne puis m'en empêcher!

Voyez comme il me regarde, comme s'il avait peur!

Faut-il le dire, Louis?

LOUIS LAINE

Faites ce que vous voudrez.

Silence.

LECHY ELBERNON

Apprenez qu'il a couché cette nuit avec moi.

MARTHE

Est-ce vrai?

LECHY ELBERNON

Réponds, Laine.

MARTHE

Parle, réponds!

LECHY ELBERNON

Ah! ah!

MARTHE

Tu as dit que tu n'aimais pas d'autre femme que moi. Tu me l'as juré ce matin, tu l'as juré!

LECHY ELBERNON

Je te le dis, il a couché cette nuit avec moi.

MARTHE

Silence, louve! et toi, parle, est-ce vrai?

LOUIS LAINE

C'est vrai.

MARTHE

Vrai! tu as perdu le droit de prononcer ce mot-là.

Louis Laine ouvre la bouche pour répondre.

LECHY ELBERNON,
lui mettant la main sur la bouche.

Ne réponds pas, Louis! Laisse-la crier, laisse-la pleurer! Qu'est-ce que cela nous fait?

Qu'elle pleure devant nous et notre amour en sera augmenté!

Vraiment, as-tu menti ainsi? Lui as-tu juré cela ce matin?

Ce matin même?

Certes tu t'es conduit très bassement et comme un homme vil!

O Douce-Amère, nous nous sommes souvent moqués de toi! Et je te connais comme lui-même et il me raconte des choses pour me faire rire.

Ce n'est pas moi qui l'ai attiré, c'est lui qui est venu vers moi.

N'aie point honte, Louis, et dis-lui que tu m'aimes!

Pour voir la figure qu'elle fera, car tel est le cruel amour!

Il paraît doucereux et gentil, mais il est barbare et impudent, et il a sa volonté qui n'est point la nôtre, et il lui faut obéir avec dévotion.

C'est pourquoi triomphe, Laine, et n'aie point honte!

Pensais-tu qu'il t'aimât toujours? Il t'a aimée, et de même,

C'est moi qu'il aime maintenant.

MARTHE

Réjouis-toi parce que tu as trouvé un tel amour.

LECHY ELBERNON

Pleure donc! pleure donc!

Pleure de l'eau chaude! ne fais pas la fière! Pleure, et ne retiens pas tes larmes!

(*Elle rit aux éclats.*)

Ah ah! ah ah ah!

Regarde-la, Laine! je ne la trouve pas aussi laide que tu me le disais.

Elle a la figure presque ronde, comme l'ont les femmes de Syrie.

MARTHE

Ris de moi aussi, Laine. Regarde-moi et réjouis-toi de l'échange que tu as fait.

LOUIS LAINE

O Marthe, ma femme! ô Marthe, ma femme!

O douleur, hélas!

O Douce-Amère! Certes, je t'appellerai amère, car il est amer de se séparer de toi!

O demeure de paix, toute maturité est en toi!

Je ne puis vivre avec toi, et ici il faut que je te quitte, car c'est la dure raison qui le veut, et je ne suis pas digne que tu me touches.

Et voici que mon secret et ma honte se sont découverts!

C'est le corps qui l'a voulu, car il est puissant chez les jeunes gens, et il est dur quand il tire.

Et il est vrai que j'y ai consenti, et je voulais mentir et cacher, mais voilà que cette action s'est découverte.

Et je me suis pris à cette femme et je lui suis attaché fortement, et je sais qu'elle ne te vaut pas, et elle n'est pas honnête.

Elle m'aime, et moi je ne puis me déprendre d'elle! O ma femme! ô ma femme qui es ici! Tu es ici, et il faut que je te dise adieu!

Tu es présente, et faut-il que nous nous séparions?

MARTHE

Louis Laine! je t'appelle par ton nom! Entends-moi!

LOUIS LAINE

J'entends. J'ai entendu.

MARTHE

Lève la tête! Regarde-moi en face et attache tes yeux sur les miens, et je te dirai la vérité.
Tu as volé quand tu étais encore un enfant.
Car déjà tu jouais et il te fallait de l'argent.
Et tu errais de lieu en lieu, comme un homme maudit, et si tu avais trouvé
Une place, tu n'y restais pas longtemps, car ton esprit te conduisait ailleurs.
Et tu es venu chez nous, et tu m'as emportée, moi qui jamais n'étais allée plus loin
Que la Croix-des-Cinq-Routes où il y a un Calvaire.
Et j'ai traversé ces eaux sans bornes et nous sommes arrivés
De l'autre côté, ici.
Maintenant parle et accuse-moi.
Pourquoi me renvoies-tu?
Car, si c'était une servante, on lui dit ce qu'elle a fait.
Mais toi, tu n'as aucune raison à donner, sinon la haine que tu me portes!

LECHY ELBERNON

Ah ah!

LOUIS LAINE

Marthe, nous ne pouvons vivre ensemble.

Car je n'en ai pas assez pour toi et pour moi.

Nous ne pouvons demeurer ensemble pour toujours.

Car la froide raison s'y oppose.

MARTHE

La raison?

LOUIS LAINE

La raison s'y oppose, Douce-Amère.

MARTHE

Maudite soit la raison, alors quc je te parle d'amour! Ne crains point, car ce que tu me donnerais, je te le rendrais, avare!

N'accuse point la raison! mais accuse l'esprit animal et sournois, l'instinct de fuite et de violence.

N'accuse point le corps, comme une femme qui accuse la servante!

Accuse l'esprit immonde!

L'esprit de mort et de dissolution, qui le séduit, car il est fait pour mourir.

Mais la volonté existe dans le cœur de l'homme, et une odeur divine lui a été donnée à sentir, comme une odeur qui pénètre par le nez.

Et moi je ne me serais point mariée, mais j'ai ressenti de l'amour pour toi.

O Laine! toujours les animaux se laissaient prendre par moi sans crainte, et les enfants ne criaient pas quand je les tenais.

Je t'ai pris et j'ai attaché mes mains derrière ton dos.

Et tu ne peux comprendre l'amitié que j'ai pour toi.

Ne te sépare pas de moi, de peur que tu n'ailles mourir!

Ne dénoue pas mes mains qui sont attachées derrière toi!

Ne me fais pas cette honte! Ne me rejette pas, car je suis ta femme.

Vois, je me tiens ici devant toi!

Louis Laine, je t'appelle dans mon angoisse!

Souviens-toi de la parole que tu m'as jurée! je lève les mains vers toi!

Regarde-moi! regarde la confusion où je suis. Il faut que je dise tout cela devant cette femme, et elle rit, tandis que je te supplie dans mon humiliation!

Ne me rejette pas! Car tu n'en as pas le droit, quand tu voudrais le faire.

LECHY ELBERNON

Le droit? Ah ah! entends-tu? Tu n'as pas le droit! Hé? Elle a un droit sur toi, entends-tu?

Pour moi j'ôte ma main et je te dis : Fais ce que tu veux!

Va, tu n'es pas digne d'elle. Fi!

Admire seulement

Qu'ainsi, du premier coup, elle se soit fait enlever

Avant que tu ne t'y sois reconnu.

Et comme elle t'a épié! Certes, tu ne peux te cacher d'elle,

Mais elle te connaît et tu ne la connais pas. Bon!

Elle dit qu'elle est honnête, c'est assez.

Pour moi, je ne puis cacher qui je suis, et tu es allé me chercher effrontément

Dans le lit même de ton hôte et dans les mains de celui qui te paye ton argent.

J'ai vécu librement, et tu sais que j'en ai connu d'autres avant toi.

Mais je l'ai oublié, et maintenant c'est toi que j'aime.

Aime-moi! Vois quelle belle dame je suis!

En vérité tu n'es pas fait pour cette vie

De vivre au long de ta femelle comme le cheval près de la jument, et on n'attellera pas avec l'ânesse l'élan couleur d'écorce.

Viens! sois libre!

Que dirais-tu quand tu entendrais souffler le vent d'hiver sous la porte?

Songe aux forêts! Rampant jusqu'au bout de la branche qui plie,

La tête en bas, tu voyais sous toi les cimes d'arbres émerger du brouillard au fond de l'abîme et la chouette jaunâtre voler dans la lumière de la lune.

Songe aux courants d'eau clairs-obscurs où l'on voit les énormes poissons gris :

Le saumon et la muskallongee!

Aime-moi, car je suis belle! Aime-moi, car je suis l'amour, et je suis sans règle et sans loi!

Et je m'en vais de lieu en lieu, et je ne suis pas une seule femme, mais plusieurs, prestige, vivante dans une histoire inventée!

Vis! sens en toi

La puissante jeunesse qu'il ne sera pas aisé de contraindre.
Sois libre! le désir hardi
Vit en toi au-dessus de la loi comme un lion!
Aime-moi, car je suis belle! et où s'ouvre la bouche, c'est là que j'appliquerai la mienne.

LOUIS LAINE, *à Marthe.*

Et toi, qu'as-tu à dire?

MARTHE

O Laine, tu m'es uni par un sacrement
Et par une religion indissoluble.

LOUIS LAINE

Et puis?

MARTHE

N'écoute pas ce qu'elle dit, car tout cela n'est que mirage et mensonge.

LOUIS LAINE

Et encore?

MARTHE

C'est tout.
Je suis pauvre, je suis sotte, je suis laide, je suis jalouse.

LOUIS LAINE

N'as-tu rien à dire de plus? O Marthe, il est inutile que tu parles.
Car c'est celle-là que j'aime.

Il montre Lechy Elbernon.

LECHY ELBERNON

Est-il vrai?

LOUIS LAINE

Oui.

LECHY ELBERNON

C'est bien moi que tu aimes, Louis?

LOUIS LAINE

C'est toi.

LECHY ELBERNON

Répète cela! C'est moi que tu aimes, et non pas elle?

LOUIS LAINE

C'est toi que j'aime et non pas elle.

Pause.

MARTHE

Adieu!

Laisse-moi te dire adieu, car le jour va finir. O Laine, mon mari, laisse-moi te regarder encore avant qu'il ne fasse nuit! Laisse-moi te toucher avant que nous nous séparions pour éternellement.

(*Elle le prend dans ses bras.*)

Adieu!

(*Demi-pause.*)

O ami! ô bien-aimé! ô ingrat!
Pourquoi as-tu fait cela?

Tu connaîtras que je ne suis pas seulement amère, mais douce.

Ce n'est pas moi qui me sépare de toi, mais souviens-toi que c'est toi qui m'as renvoyée et que je te baisais l'épaule dans mon humiliation.

Et maintenant il me faut te quitter.

(*Demi-pause.*)

Hélas! ô que cela est dur, Dieu!

(*Elle s'éloigne d'un pas.*)

Adieu, Laine!

Elle sort.

Pause.

LECHY ELBERNON,
déclamant à demi-voix.

« *O ours! ô pivert! ô loup!*

« *Voici que je ne puis monter plus haut! O cousin Raccoon! ô écureuil cramponné à l'écorce rugueuse!*

« *Vois-moi, mon grand-père l'Élan, parce que je vais mourir ici!* »

LOUIS LAINE

O! c'est « l'Enfant-aux-sourcils-de-pierre »!

LECHY ELBERNON, *continuant :*

« *Tout le jour à grand travail je suis montée, pleine de terreur,*

« *Franchissant les troncs pourris, grimpant dans les pierres croulantes!*

« *Et maintenant je ne puis plus avancer!* »

LOUIS LAINE, *imitant une voix qui vient de fort loin en bas.*

« Wow! »

LECHY ELBERNON

« Haha! Waha! Ahi!

« Ils sont après moi, j'entends la voix de mon frère!

« Aie pitié de moi, mont!

« Aie pitié de la misérable! aie pitié de l'enfant que je porte dans mon ventre! Tout le jour tu as senti les pieds nus de la femme grimper.

« O mont, cache-moi, qu'on ne me retrouve plus!

« O Seigneur, dès que vient l'Été doux et chaud,

« Les femmes travaillent dans les champs, cultivant le sorghum et les fèves. Et chaque fois que je levais la tête,

« Tant que durait le jour bleu, je te voyais à ta place,

« Assis comme un Sagamore, considérant la contrée et la sérénité de la saison.

« Et je t'ai aimé. Et un jour tu es venu à moi et tu m'as connue, et voici que je porte un enfant sous ma robe.

« Aie pitié de moi, montagne!

« Je ne puis plus monter, et voici que je me couche sur toi dans l'épaisseur des feuilles!

« Haha! Waha! Ahi! Wahaha!

« Voici les douleurs de la mort!

« Donne-moi des forces pour que je le mette au monde avant que je ne meure! Aie pitié de lui, si c'est un garçon, et qu'on ne lui fasse pas de mal! »

(Elle le regarde fixement.)

— Mais, vois-tu, ne m'abandonne pas à mon tour.

LOUIS LAINE

Comment?

LECHY ELBERNON

Aime-moi!

Je suis tellement triste! O! si tu savais la tristesse qu'il y a en moi!

Baise-moi, parce que je suis la liberté et te voici sorti de la maison.

Mais prends garde de ne point ruser!

Parce que je suis la plus maligne, et n'essaye point de m'échapper!

(*Elle lui prend le cou en riant, avec les deux mains.*)

De peur que, comme les folles fourmis mâles...

LOUIS LAINE

Va!

Je sais bien que je mourrai bientôt,

Et voici que t'ai rencontrée comme une touffe de fleurs funèbres.

— Laisse-moi oublier tout.

Laisse-moi regarder le jour qui s'achève, et du bois se lève un goût et une odeur.

Je n'aurai point de part aux occupations des hommes.

Salut, air!

Salut, dans l'heure de ton abaissement, mystère de joie,

Soleil qui vivifies et qui rends toutes choses visibles!

La journée finit, et la mer de toutes parts

Monte, et elle sera pleine à cette heure où se lève un petit vent.

Maintenant je ferme les yeux au monde. O odeurs! ô odeurs qu'on ne sent pas ici!

— O toute odeur de la rose et de l'herbe que l'on froisse dans ses mains!

ACTE III

Même scène. — Le soir de la même journée, immédiatement après le coucher du soleil. Mouches à feu dans les herbes et les feuilles, comme des étincelles.

MARTHE

La saison qui est appelée l'été
Est constante et sereine, alors que l'arbre et l'herbe fleurit.
Le vent est faible et doux,
Et le jour devient plus long jusqu'à ce que les blés épient.
Alors les jours diminuent.
Mais il faut encore que le fruit se forme et se nourrisse,
Jusqu'à ce qu'il soit mûr,
Les fruits qui servent aux hommes et ceux qui ne leur servent point du tout.
Viennent alors les vents qui hochent l'arbre, et le noiement des pluies!
Mais maintenant voici, voici le temps de la paix,
Et le ciel est à lui-même pareil, mais toutes choses poussent sur la terre!

Et la mer improductive demeure dans le repos.
C'est le temps qui est au milieu de l'année, c'est le jour où le soleil s'arrête.
La lumière du jour s'éteint, j'entends la marée nocturne monter, et la Nuit
Découvre le Royaume du ciel.
C'est le moment que la femme se fait parer, tenant devant elle le miroir à deux mains,
Et moi aussi, il est convenable que je me pare
Comme une veuve, prenant d'autres vêtements.

(*Elle pousse un cri long et perçant.*)

Justice! Justice!
Je me tiens devant l'Univers, et je le vois, et toutes choses subsistent par la justice.
Et moi je pousserai un cri, car j'ai souffert l'injustice.
Et je suis petite et humble, mais mon cri ne sera point inentendu.
Justice! Justice!
J'ai aimé et je n'ai point été aimée.
J'ai été unie à lui et tout vivant il s'est séparé de moi.
Et il m'a déclaré qu'il m'abandonnait et qu'il se séparait de moi par sa propre volonté.
Et il m'a vendue comme un animal!
Salut, noir!
Salut,
Figures qui paraissez dans le firmament, les unes qui êtes éternelles et les autres qui passez! et planètes qui par la nuit suivez la route du Soleil!
Je te salue, ô Nuit,
Telle que tu étais avant la lumière et avant que Lucifer ne parût!

Je me réjouirai parce que je vois ma demeure devant moi et j'essuierai les larmes de mes yeux.

Car voici que je m'en reviens les mains vides.

Ayez pitié de moi, ô vous qui êtes présents!

O mon petit frère aîné qui avez vécu quinze jours, n'ayant fait que passer sur la terre comme l'ombre d'une abeille,

Consolez-moi dans ma honte et dans mon insuccès!

Car, ô Dieu, tu m'avais envoyée

Comme un homme à qui un marchand confie des choses précieuses pour qu'il fasse du commerce avec, et comme une femme prudente.

Et j'ai rencontré cet homme et je l'ai conduit à l'intérieur de la maison,

Et je lui ai montré ces choses, et comme il n'a point d'intelligence, il n'a point su ce que c'était;

Et il n'a point voulu de moi pour que je l'instruise, et il ne m'a point crue, et il s'est moqué de moi.

En sorte que je m'en reviens, rapportant ce que tu m'avais donné, telle que je suis partie,

N'en ayant point trouvé le prix ici.

O Laine que j'ai aimé!

(*Silence.*)

Je vous salue aussi, Océan!

Je viens vous voir, grandes eaux qui de la terre avez été séparées! O mélancolie!

Je te salue, solitude, avec tous les navires qui sur la plaine mouvante promènent lentement leur petit feu!

Je te salue, distance!

Je me tiens, pieds nus, sur cette plage, sur le sable solide où la vague a sculpté des figures étranges.

Je me tiens debout sur cette terre de l'Occident. O terre qui a été trouvée au-delà de la pluie!

Comme un bien qu'un certain homme acquiert alors que sa barbe grisonne et dont il faut qu'il retire bientôt son profit.

O terre d'exil, tes campagnes me sont ennuyeuses et tes fleuves me paraissent insipides!

Je me souviendrai de toi, pays d'où je suis venue! ô terre qui produit le blé et la grappe mystique! et l'alouette s'élève de tes champs, glorifiant Dieu.

O soleil de dix heures, et coquelicots qui brillez dans les seigles verts! O maison de mon père, porte, four!

O doux mal! O odeur des premières violettes qu'on cueille après la neige! O vieux jardin où dans l'herbe mêlée de feuilles mortes

Les paons picorent des graines de tournesol!

Je me souviendrai de toi ici.

Entre Lechy Elbernon.

LECHY ELBERNON

Hello, c'est moi!

MARTHE

Vous?

Elle s'avance vers elle.

LECHY ELBERNON

Oui. Vous êtes étonnée de me voir?

— Je suis venue vous consoler.

Je connais la vie plus que vous. J'ai été modiste dans le temps, mais les clientes ne payaient pas et elles me laissaient mourir de faim.

Des femmes qui valaient cent mille dollars. Quelle honte!

Ne vous désolez pas.

Moi-même, plusieurs fois, j'ai été laissée ainsi.

Est-ce que vraiment il vous a aimée autant qu'il le dit? Comment a-t-il pu vous laisser, vous qui étiez à lui seul, pour moi.

Qui sur la scène suis exposée à tout venant, comme un spectacle ordinaire et public?

Ne vous désolez pas, ma poule blanche! Vous aurez encore bien des occasions de pleurer.

MARTHE

Pourquoi venez-vous m'insulter?

LECHY ELBERNON

Et pour Tom, je le connais. Il ne vous donnera peut-être pas autant d'argent que vous le pensez.

Il est avare comme Judas! Tant par mois, voilà! *No fun!* C'est pourquoi je le laisse là.

— Pourquoi ne vous tuez-vous pas, si vous êtes une femme bien élevée?

MARTHE

Je ne puis faire ce crime.

LECHY ELBERNON

Mon pot de violettes blanches! mon doux lys de Pâques!

Comment avez-vous pu vous laisser traiter ainsi devant moi? Vous l'avez supplié et il s'est moqué de vous! Il faut que vous voyez bien lâche!

Est-ce que vous avez peur? Pour moi, si le démon de la tristesse ne me quitte point,

Je me tuerai, quand je devrais m'ouvrir le ventre avec des ciseaux! Je m'asphyxierai au-dessus d'un bec de gaz.

Qu'est-ce qui vous retient? Pourquoi ne vous tuez-vous pas?

MARTHE

Vous parlez déraisonnablement.

LECHY ELBERNON

Tuez-le donc, lui! Vous n'êtes pas une femme, si vous n'avez pas envie de vous venger. Tuez-le, je vous le livre.

MARTHE

Ho!

LECHY ELBERNON

Vous ne voulez pas?

Et n'avez-vous point peur que je vous fasse tuer, moi?

MARTHE

Faites ce qu'il vous plaira.

LECHY ELBERNON

Il faut que je vous donne un autre conseil. Buvez du whisky, qui est un remède contre la morsure du serpent.

C'est la consolation de ceux qui sont seuls et dont personne n'a souci. Buvez le lait noir! C'est un bon conseil que je vous donne! C'est bon!

J'en ai pris un coup superbe, ce soir!

Je suis étrangement gaie! J'ai du feu au-dedans, mais ce n'est pas au cœur, et il y a toujours quelque chose que je ne peux pas réchauffer, comme un glaçon enveloppé dans une serviette.

Ça ne fait rien!

Je suis étrangement gaie! J'ai des idées! j'ai des idées diaboliques!

Ça brûle en moi comme un bol de punch! Regardez si vous voyez quelque chose de bleu!

(*Elle ouvre la bouche toute grande.*)

Je vais ouvrir la bouche toute grande vers la lune pour me refroidir.

De sorte que je serai toute creuse et qu'on pourrait m'enfoncer une paille jusqu'au fond de l'estomac.

La lune est pleine. Un mauvais temps pour se faire couper les cheveux, comme disent les vieux fermiers, car ils repoussent aussi drus que de l'herbe et aussi raides que des poils de cochon!

Ah! ah! je vous dis que je suis gaie comme un chat!

Voyez-vous ce saule qui est là?

MARTHE

Je le vois.

LECHY ELBERNON

Vous le voyez? (*Déclamant.*)

« Le saule comme une veuve verte, alors que l'orage qui monte fait la nuit... »

Je regardais ce saule ce matin pendant que nous causions, et je pensais à vous y faire pendre

Avec une corde bien suiffée. Les yeux sortent de la tête comme des escargots !

J'ai Christophe Colomb Blackwell qui m'aurait fait cela. Mon nègre, vous l'avez vu ?

— Est-ce que vous avez vu les chênes verts dans le pays créole ? avec de longues mousses qui y pendent ; comme c'est triste ! O quels beaux cimetières il y a là-bas !

— Vous êtes entre mes mains.

MARTHE

Je le sais.

LECHY ELBERNON

Bah ! Point de fausse honte ! Vous serez heureuse avec Thomas Pollock !

— Vous ne dites rien ? Alors vous ne saurez pas pourquoi je suis venue vous voir.

MARTHE

Vous voulez me faire croire que vous êtes ivre !

LECHY ELBERNON

Sentez !

(*Elle lui souffle à la figure.*)

Savez-vous que je pourrais le ruiner ? Oui,

Quoique cela vous paraisse étrange ; il suffirait

Que cette maison qu'il a ici brûlât aujourd'hui. Je me suis fait expliquer.

Je ne sais ce que je ferai. Je ferai de telles choses cette nuit... Ah! ah!

C'est moi qui fais les femmes dans les comédies et je sais les faire toutes :

La malice de la vierge et celle de la fille de joie et les matrones qui sont comme des chattes angoras.

Et le diable a trouvé la maison vide, et il est entré dedans, et il ne peut plus en sortir, comme un chat qui s'est pris dans une serviette.

O il y a une telle aridité en moi! Dites-lui qu'il m'aime,

Et qu'il ne me quitte pas! Dites-lui que je l'aime et que je ne suis pas rassasiée de lui,

Et que je veux lui apprendre ce que je connais, m'étant couchée à son côté,

Le prenant à la tête et sous le bras comme un ouvrier qui travaille à la pièce qu'il a saisie :

(*Déclamant :*)

« *Le lit de la joie humaine et la jouissance où il n'y a point de satisfaction.* »

Je ne me retirerai point comme une sorcière au fond d'un puits de mine,

Étudiant une telle imprécation

Que le fer des charpentes fléchisse comme du plomb et que l'épidémie

Enlève les enfants comme plein des mannes d'oiseaux morts,

Et que des torrents de flammes jaillissent des marchés et de la fondation des villes!

Mais je porte dans la chaleur de ma bouche une dissolution plus parfaite,

Soit que je fasse signe à l'adolescent

Que c'est lui que j'aime entre tous, le nouveau-né! soit que le vieillard au menton hérissé de crin blanc approche

Le rond difforme de sa bouche aux bords épais!

Et ils ne s'approchent point de moi en vain; mais ils emportent de moi de la semence,

Fraude, fureur, poison, perversion fondue de la femme et perte des enfants,

Cupidité, gloutonnerie, malice, dégoût du travail et de la peine, et correspondance de la punition!

Et le mal n'est point pour un seul mais il se propage sans fin,

Car il est touché dans son hérédité. Et telle est la joie que je donne.

— Et vous, vous n'êtes point vierge non plus.

MARTHE

Ah!

Certes il faut que tu sois le diable pour avoir trouvé ce mot-là!

Démon, tu ne me confondras point. Car je suis sa femme et il m'a épousée légitimement.

J'ai eu pitié de lui. Car où se tournerait-il recherchant sa mère, autrement que vers la femme humiliée,

Dans un esprit de confidence et de honte?

Mais par où l'homme se conserve, c'est par là que tu veux le détruire.

Pour quoi faire détruire?

Tout est vain contre la vie, humble, ignorante, obstinée. Mais celui qui détruit quelque chose aura à rendre raison à la place, s'il le peut.

Pour moi, à Dieu ne plaise que je détruise rien! mais quand j'étais encore une petite fille dans mon pays,

Alors que les abeilles essaiment, sur les deux heures, quand il fait si chaud,

Je m'asseyais dans l'herbe et, frappant sur un morceau de fer, je disais « belle! belle! »

Et tout l'essaim par rangées noires venait s'abattre sur le drap blanc tendu.

Et l'on m'a appris à ne point marcher dans les blés et à ne point jeter mon pain par terre,

Mais à le poser sur une borne quand je n'en voulais plus ou au pied d'une croix,

Et à ne rien prendre aux autres.

LECHY ELBERNON

Eh bien! si vous l'aimez, dites-lui qu'il ne se sauve pas comme il le veut faire.

Entendez-vous? c'est cela que je suis venue vous dire.

Dites-lui qu'il m'aime? Car il veut se sauver, j'ai lu cela dans ses yeux et je pense qu'il viendra vous trouver.

Et il est sur le bout de mon doigt comme un insecte prêt à s'envoler!

Qu'il ne fasse pas cela! Ou sinon,

Sûrement il est mort! Qu'il n'espère pas m'échapper!

MARTHE

Quoi!

LECHY ELBERNON

Dites-lui cela, si vous l'aimez! dites-lui qu'il m'aime!

Dites-lui cela, Douce-Amère!

Elle sort. Pause.

Entre Louis Laine. Il se tient immobile à quelques pas de sa femme.

LOUIS LAINE, *d'une voix sourde.*

Marthe!

(*Silence.*)

(*Plus bas.*) Marthe!

MARTHE

Qui êtes-vous?

LOUIS LAINE

C'est moi.

(*Silence.*)

Réponds!

(*Silence.*)

Est-ce que tu ne me réponds pas?

MARTHE

Laine!

Je pense que nous nous étions mépris tous les deux.

En effet. Nous ne pouvions vivre ainsi attachés ensemble tous les deux, n'ayant rien à nous.

LOUIS LAINE

Thomas Pollock Nageoire...

(*Silence.*)

Tu ne réponds rien?

MARTHE

Parle, Laine, j'écoute. Je ne te vois pas, mais j'entends.

LOUIS LAINE

Douce-Amère, tu es toujours à moi.

MARTHE

Je ne suis plus ni douce pour toi ni amère.

LOUIS LAINE

Je te ferai boire l'eau amère, chienne, et ton ventre crèvera comme une bouteille! Je vois que ton parti est pris.

MARTHE

N'as-tu point touché ton argent?

LOUIS LAINE

Je n'ai point reçu d'argent. Mais lui... Il est riche, hé!
Tu as réfléchi, hé? tu as consenti.
Dis la vérité! je sais que tu as consenti.

MARTHE

La vérité? ô faiseur de mensonges!

Silence.

LOUIS LAINE

Ainsi tu as consenti!
Et il est vrai que tu as accepté cet échange.
Écoute, Douce-Amère, je le crois.

(*Long silence.*)

Écoute, Douce-Amère,
Je n'élèverai point la voix, comme la nuit tranquille ne le permet pas,
Et cette face jaune qui par la nuit contemple le soleil.
Et songe à quoi elle assiste du haut du ciel, à cette heure de silence.
Tout est perdu!
Tu ne m'es plus douce, ô Marthe, et tu ne m'es plus amère, et toute lumière est retirée de mes yeux!
Infortuné! qui me donnera de dormir et de fermer les yeux? car le sommeil est comme une nuit sans lune, quand on dort.
J'ai un coup aigre à boire, et si raide que les cheveux m'en frisent! le vase est large et profond.
Viens ici, mon aimable ignominie! viens, Madame, que je te baise et te caresse.
Ainsi, pas plus que moi, douce chatte,
Tu n'as su résister à ce papier séducteur! en vérité, nous ne sommes que chair et sang!
En vérité, vertu!
Pour moi, je ne suis qu'un ruffian, mais comment
Appellerai-je ton indifférence?

MARTHE

Malheureux, ne parle pas ainsi affreusement!

LOUIS LAINE

Douce-Amère, j'ai de sombres pensées. La bête sauvage ne peut être apprivoisée, mais il faut qu'elle meure, et l'homme sauvage meurt du brisement de son cœur.

Mais je suis d'une autre race que toi et tu ne m'as point compris.

Tu te rappelles quand je t'ai connue, c'est alors que j'étais si malade et je gisais entre la vie et la mort.

Et comme j'étais dans le lit, je sortis :

Et d'abord je rencontrai deux hommes qui portaient une pièce de bois sur leurs épaules; et c'étaient les montants de la porte avec le linteau.

Et ensuite je vis un potier à quatre pattes qui achevait de se façonner la tête sur une roue; et c'était une brouette qu'on avait oubliée là.

Et je traversai beaucoup de pays, marchant, changeant de place.

Et pour les choses que j'ai vues, il y en a tant que je ne me rappelle plus et les cheveux fourmillent sur ma tête.

Mais comme je suivais le chemin interminable

Dans les bois et la plaine blême, je vis par l'ouverture de la haie

Un mort à tête d'élan qui hersait tout nu la neige avec une branche d'épines. — Et je traversai une eau noire

Et de vastes marais, et j'arrivai dans ce pays

Où les Indiens des Pueblos une fois par année vont chercher les âmes de leurs parents; et avec de grandes lamentations ils s'en reviennent, portant des paniers pleins de tortues.

Et le sachem vint à ma rencontre, mon arrière-grand-père qui a vécu dans le temps, de la tribu des Ratons.

Et il me tendit un aliment pour que je le mange,

Et j'y enfonçai les dents et je trouvai qu'il avait le goût du savon et je ne voulus point manger.

Pour lors je dus repasser l'eau et je m'en revins obscurément de là-bas.

MARTHE

Hélas! voilà l'esprit de songe qui te tourmente encore!

LOUIS LAINE

Je m'enfuirai d'ici! Il faut que je fuie! je me sauverai d'ici.

MARTHE

Où veux-tu aller?

LOUIS LAINE

Malheureux! je suis trahi! Voilà qu'elle m'a trahi aussi.

Est-ce que c'est vrai? réponds! Parle! réponds!

Hein? hein?

Réponds donc! Pourquoi ne réponds-tu pas! Elle ne répond rien!

Fuyons d'ici!

Le monde est vide et je suis complètement seul.

Ne me diras-tu pas un mot?

MARTHE

Que veux-tu que je te dise?

LOUIS LAINE

Dis-moi que tu m'aimes encore. La nuit est venue! maintenant je suis lâche! maintenant je puis prononcer de telles paroles!

MARTHE

Il est trop tard. Tu n'entendras point le mot que tu demandes de ma bouche. Songe à toi seul!

LOUIS LAINE

Eh bien donc, malheur à moi!

MARTHE

Malheureux, ne te maudis pas toi-même!

LOUIS LAINE

Malheur à moi, parce que je suis dans le grand monde comme un homme égaré et perdu!
Je n'ai point eu d'intelligence. Ce qu'on me dit, je ne le comprends point. Mais je suis comme l'animal qui va
Vers la main qui lui tend des feuilles.
Et toi, parce que je t'ai trahie, voilà que tu m'abandonnes!

MARTHE

Laine, je suis là, je ne t'abandonne point!

LOUIS LAINE

Partons d'ici!

MARTHE

Reste! où veux-tu aller?

LOUIS LAINE

Fuyons! il le faut!

MARTHE

Reste! Sache qu'il y a un danger pour toi.

LOUIS LAINE

Il le faut! il le faut!

MARTHE

Reste! il y va de ta vie!

LOUIS LAINE

Cela m'est égal! il le faut!

MARTHE

Reste!
Pourquoi fuis-tu ainsi devant le souffle du vent?
Demeure! résiste!
Et moi je te défendrai, et je te sauverai aussi; car le cygne lui-même,
Et l'innocent héron, se défend, lui-même et son nid.

LOUIS LAINE

Ce n'est point le vent qui souffle, c'est ce souffle qui est au-dedans de moi-même! Fuyons!
Quelqu'un est ici et il me presse comme avec une épée tirée.
J'irai! il le faut!
Ne me retiens point, car il y a un esprit en moi.
Je courrai tant que les jambes me porteront!

MARTHE,
lui saisissant la main.

Pardonne-moi, Laine!

LOUIS LAINE

Que fais-tu?

MARTHE

Je te demande pardon.
Car je t'ai été une compagne pénible et douloureuse. Et de la main je t'ai pris la main, et voici que tu t'en es débarrassé.
Mais pardonne-moi maintenant, et ne garde point de colère contre moi.
Ne garde point
De trouble et de pensées injustes.

LOUIS LAINE

Pourquoi me demandes-tu pardon, comme à quelqu'un qui va mourir?

MARTHE

Dis que tu m'as pardonné.

Silence.

LOUIS LAINE

Et toi, pardonne-moi aussi.

MARTHE

Te pardonner? Je te pardonne, mon ami! je te pardonne, mon pauvre petit enfant!
Où veux-tu fuir?

Je te dis que tu ne peux fuir et que tu es pris.
Car regarde devant toi,
Et regarde à droite, à gauche, en haut,
Et regarde derrière toi; et considère les cieux étoilés qui t'entourent!
C'est pourquoi retourne-toi,
Et tiens-toi debout devant Celui qui est parfait et immobile.
Et fais le signe de la croix, car le moment approche où tu vas être divisé.
Regarde là! regarde
L'Océan. Regarde le seuil des eaux!
Pour l'homme du vieux monde qui vers le soir tourne sa face fatiguée,
Où le terme du jour là est l'éclat de l'eau,
Mais voici que tu as porté tes pieds de l'autre côté.
Avoue donc ici et confesse-toi.
Tu t'es plongé dans la mer ce matin et tu voulais aller jusqu'au fond;
Mais ce n'est pas cette eau salée-là qui te purifiera, mais celle qui sort de tes yeux. O Laine, tu es vivant encore!
— Donne-moi tes mains! donne-moi tes deux mains!

(*Elle lui prend l'autre main.*)

O main droite! ô main gauche!
O main! je te tenais dans la nuit et, le cœur plein de joie, je comptais tes doigts l'un après l'autre.
O mains! pourquoi avez-vous été si promptes à prendre et à lâcher!

(*Silence.*)

Et maintenant, remets-moi cet argent qu'il t'a donné.

Silence.

LOUIS LAINE

Quel argent! Il ne m'a point donné d'argent.

Silence.

MARTHE

Voilà que tu mens encore!
Je sais qu'il t'en a donné.

LOUIS LAINE

Je l'ai jeté! Je l'ai laissé! je ne sais ce que j'en ai fait!

MARTHE

Ne me mens point à ce suprême instant!
Dis la vérité! je te dis que tu es près de la mort.
Ne garde point cet argent et donne-le-moi.

LOUIS LAINE

Je n'en ai point.
Le temps passe! le temps passe! Il faut que je parte d'ici.
Adieu, Marthe!

(*Silence.*)

Adieu, Douce-Amère!

MARTHE

Adieu!

LOUIS LAINE

Adieu pour toujours!

Il sort.

Entre Thomas Pollock Nageoire.

THOMAS POLLOCK NAGEOIRE

Good night, Madame. Bonne nuit.
Ne vous dérangez pas. Restez assise.

MARTHE

Me permettez-vous de m'asseoir?

Elle se rassied.

THOMAS POLLOCK NAGEOIRE

Qu'est-ce que cela veut dire?

Il la regarde.

MARTHE

Une belle nuit, Monsieur.

THOMAS POLLOCK NAGEOIRE

O, mais est-ce que votre mari n'est pas ici?

(*Elle secoue la tête.*)

Est-ce que vous me permettez de rester un moment avec vous? car je voudrais vous parler.

MARTHE

Permettre? N'êtes-vous pas le maître ici?

THOMAS POLLOCK NAGEOIRE

Ne parlez pas ainsi. Et d'abord pardonnez-moi

Pour ce matin. Je ne me suis pas conduit comme un gentleman.

(*Silence.*)

J'ai une fille, vous savez. Elle doit avoir le même âge que vous.

Silence.

MARTHE

Comment s'appelle-t-elle?

THOMAS POLLOCK NAGEOIRE

Laura, je crois;
Ou Elmira; Elmira, est-ce que c'est un nom de femme? Elle est à l'Université; il y a bien trois ans que je ne l'ai vue.
Divorce, *see?* Je crois que sa mère est à Cleveland, O. Elle a épousé un ministre. — Oui, elle a bien le même âge que vous.
Moi, je ne sais pas l'âge que j'ai. Pas le temps de songer au temps qui passe.

MARTHE

Vous avez beaucoup vécu.

THOMAS POLLOCK NAGEOIRE

Oui, j'ai beaucoup vécu.

(*Il regarde par terre d'un air songeur.*)

J'ai appris aujourd'hui que le vieux Mike était mort. Oui, mon ancien associé. Nous en avons fait ensemble, des affaires!
— Que de choses on se rappelle! j'ai connu le Sud avant la guerre. Quel beau temps!

Well!
J'ai fait de tout, j'ai roulé partout, je sais tout.
Tout cela est passé et c'est comme un rêve qu'on a fait.
Mais je puis vous le dire, Marthe,
L'année a été mauvaise, très mauvaise! J'ai vu bleu sur les *Cordages*. J'ai *bluffé,* mais je ne sais pas comment cela finira.
Je ne sais pas pourquoi je vous raconte cela.
— Votre mari vous a quittée, n'est-ce pas?

MARTHE

Oui.

THOMAS POLLOCK NAGEOIRE

Et qu'allez-vous faire maintenant?

MARTHE

Vous m'avez déjà demandé cela ce matin.

THOMAS POLLOCK NAGEOIRE

Excusez-moi. Ne prenez point ce que je dis à mal.
En vérité, je n'ai rien à vous dire, mais je me sens fort triste.
Depuis que je suis près de vous, il me semble que je suis comme un vieux homme, et je voudrais que vous me parliez doucement.
Permettez-moi de rester ici, *Bittersweet!*
Quel est ce charme qu'il y a en vous? Car comme les autres femmes, vous ne donnez point envie de parler et de se montrer,
Mais de se taire et de penser aux choses passées

Et de révéler les choses anciennes et dont on ne parle pas, mais que l'on garde dans son cœur,

Et de ne dissimuler rien.

Ne me traitez pas comme un ennemi.

— C'est vrai!

J'ai donné de l'argent à votre mari afin qu'il vous laisse là.

MARTHE

Et le malheureux vous a écouté et il a pris votre argent! Et vous venez afin de prendre livraison!

Il m'a tout expliqué. Sachez qu'il a fait ce qu'il a pu, tâchant de me persuader. O honte!

THOMAS POLLOCK NAGEOIRE

Est-ce qu'il a fait cela?

MARTHE

Et savez-vous qu'il va mourir maintenant et qu'on va le tuer?

Hélas! hélas!

C'est vous, c'est vous qui êtes la cause de sa mort, vous, vous!

THOMAS POLLOCK NAGEOIRE

Sa mort?

MARTHE

Pourquoi avez-vous fait cela? pourquoi êtes-vous venu vous mettre entre nous, séparant le mari de la femme? est-ce que cela est bien?

Que vous avions-nous fait? N'en aviez-vous pas

assez à vous, sans envier le bonheur des pauvres gens? Pourquoi êtes-vous venu le tenter
Dans sa faiblesse et dans sa pauvreté, homme grand et riche? Ne pouviez-vous le laisser vivre?

THOMAS POLLOCK NAGEOIRE

Écoutez-moi avec patience.
Je porterai ma faute, s'il y en a une, et non point celle d'un autre.
Mais où est la règle de la vie,
Si un homme ancien et éprouvé,
Mûr, solide, avisé, capable, réfléchi, ne cherche pas à
Avoir une chose qu'il trouve bonne?
Et si je suis plus riche et plus sage que lui, est-ce ma faute?
J'ai été honnête avec lui et je n'ai point usé de tromperie ni de violence, et je n'ai pas voulu lui faire tort. Je lui ai offert de l'argent, et il a accepté, et il est tombé d'accord avec moi.
Car je lui causais un dommage et il avait droit à une compensation. C'est à lui que j'ai offert de l'argent, et non point
A vous, et je n'ai point agi malhonnêtement.
Ne dites point que je vous aie achetée! Mais puisqu'il vous quittait, ne lui fallait-il point de l'argent?
— Voilà ce que j'ai à dire.

MARTHE

Thomas Pollock, faites attention à votre argent qui vous donne un droit au-dessus de tous.

Veillez dessus et ne vous occupez pas de choses frivoles.

THOMAS POLLOCK NAGEOIRE

Croyez-vous que j'aime l'argent?
Moi! Non. Cela n'est pas.
J'ai été ruiné plusieurs fois dans ma vie et presque toujours
Comme par ma propre volonté. C'est un plaisir comme de vivre
Que de s'occuper à quelque affaire et de la suivre jusqu'au bout.

MARTHE

Supposez que la maison que vous avez ici brûlât?

THOMAS POLLOCK NAGEOIRE

Brûlât? Comment? pourquoi brûlerait-elle? Est-ce que vous savez quelque chose?

MARTHE

Elle est entièrement en bois.

THOMAS POLLOCK NAGEOIRE

Oui. Et pas même un *safe*.
Je me suis conduit comme un sot!

MARTHE

Supposez cela.

THOMAS POLLOCK NAGEOIRE

Eh bien! je serais entièrement ruiné.

MARTHE

Retournez donc chez vous sans perdre de temps, c'est un bon conseil que je vous donne.
Ou bientôt vous allez voir de la lumière de ce côté.

THOMAS POLLOCK NAGEOIRE

C'est un coup de Licky!

MARTHE

Allez et ne perdez pas de temps.

THOMAS POLLOCK NAGEOIRE

Maudite soit l'idée que j'aie eue d'emporter ces papiers avec moi!

MARTHE

Allez!

Pause.

THOMAS POLLOCK NAGEOIRE

Que la maison brûle! cela fera un beau feu à voir!
Je ne me dérangerai pas quand je cause avec une dame.
En vérité,
Je ne vois point de raison que je fasse une chose plus qu'une autre.
Laissez-moi rester ici.
Ne me parlerez-vous jamais doucement, Bittersweet?
Je sais que vous l'aimez et je vois votre douleur.

Sans doute que je devrais m'en aller; mais pardonnez-moi,

Car je sais que vous êtes là et je n'ai plus la force de vous quitter.

Laissez-moi rester avec vous un peu de temps.

(*Coup de feu au loin.*)

Qu'est-ce que cela?

Silence.

MARTHE

Quelque chasseur, sans doute.

Long silence. Un oiseau chante, tout à coup.

THOMAS POLLOCK NAGEOIRE

Écoutez le whippoorwill.

(*Silence.*)

Well!

Il me semble que j'avais pas mal d'intelligence et d'énergie, et j'en ai tiré parti tolérablement bien.

Et j'ai eu une chance passable aussi, et même une bonne. Et j'étais fier de ma chance plus que du reste.

Oui.

Je n'ai donc pas eu à me plaindre, hé?

Je suis un homme sérieux et je sais ce que valent les choses.

C'est pourquoi j'achète, et je ne garde rien pour moi, mais je revends.

Oui.

Toutes choses me sont passées par les mains, et il me semble que je revois tous mes comptes.

— Dites-moi pourquoi je me sens si triste.

MARTHE

Est-ce que chaque chose vaut exactement son prix?

THOMAS POLLOCK NAGEOIRE

Jamais.
— Vous ne m'aimez pas, Bittersweet.

MARTHE

Thomas Pollock Nageoire!
Comme un pêcheur au milieu de son filet qui retire les poissons,
Et qui les rejette tous et n'en garde qu'un seul,
Et comme un homme qui achète un lot dans une vente après décès, et qui en y regardant trouve
Une chose qui à elle seule le paie,
Voici que vous avez acquis plus que vous ne pensez, et votre dernier achat n'a pas été le pire.

THOMAS POLLOCK NAGEOIRE

Que voulez-vous dire?

MARTHE

Thomas Pollock, il y a plusieurs choses que j'aime en vous.
La première, c'est que, croyant qu'une chose est bonne, vous ne doutez pas de faire tous vos efforts pour l'avoir.
La seconde, comme vous le dites, est que vous connaissez la valeur
Des choses, selon qu'elles valent plus ou moins.
Vous ne vous payez point de rêves, et vous ne

vous contentez point d'apparences, et votre commerce est avec les choses réelles,

Et par vous toute chose bonne ne demeure point inutile.

Vous êtes hardi, actif, patient, rusé, opportun, persévérant.

Vous êtes calme, vous êtes prudent, et vous tenez un compte exact de tout ce que vous faites. Et vous ne vous fiez point en vous seul.

Mais vous faites ce que vous pouvez, car vous ne disposez pas des circonstances.

Et vous êtes raisonnable, et vous savez soumettre votre désir à votre raison, et vous savez soumettre votre raison aussi.

— Et c'est pourquoi vous êtes grand et riche.

THOMAS POLLOCK NAGEOIRE

Je suis pauvre! Pourquoi vous moquez-vous de moi?

Je suis pauvre parmi toutes ces choses à vendre,

Qui sont à moi comme si elles n'y étaient pas, et il ne me reste rien entre les mains.

MARTHE

Regardez!

Lumière rouge et fumée au-dessus de la forêt.

THOMAS POLLOCK NAGEOIRE

That's all.

Entre Lechy Elbernon.

LECHY ELBERNON

Thomas Pollock, j'ai à vous dire que votre maison brûle.

THOMAS POLLOCK NAGEOIRE

Je le vois.

LECHY ELBERNON

Qu'est-ce que c'est que ça pour vous? une misérable maison de bois!

Je pense que vous n'avez pas fait la folie, hi!

D'emporter des papiers avec vous?

Comment le feu a-t-il pu prendre? Tous les domestiques sont partis et il ne restait que moi.

Et comme j'étais dans le jardin, j'ai vu tout à coup du rouge dans le salon.

(*Elle déclame.*)

« *La porte est fermée et verrouillée;*

« *Les fenêtres sont fermées et il n'y en a pas une d'ouverte et les volets sont assujettis au-dedans avec le loquet et la barre.*

« *Mais tout à coup, comme un homme en qui la folie lugubre a éclaté,*

« *Voici qu'on voit par les fentes et par les trous de la porte et des fenêtres resplendir*

« *L'effroyable soleil intérieur!* »

THOMAS POLLOCK NAGEOIRE

Lechy, je pense que vous n'êtes pas bien.

LECHY ELBERNON

Je suis ivre! je suis ivre! hourra! et je ne puis me tenir sur mes pieds, hourra!

C'est moi qui ai mis le feu à ta maison, Thomas Pollock, et ta fortune s'en va avec la fumée épaisse et jaune, et voici que tu n'as plus rien!

Hourra! hourra!

Servantes, mettez le feu à la maison afin de la nettoyer! que tout ce qui peut brûler brûle!

Que la manufacture brûle! que la récolte brûle quand on l'a mise en meules! que les villes brûlent avec les banques,

Et les églises, et les magasins! et que l'entrepôt mammouth

Pète comme une pipe de rhum!

Et moi aussi je brûle! Et toi, tu brûleras aussi dans le milieu de l'enfer où vont les riches qui sont comme une chandelle sans mèche,

Afin que tu te consumes comme de la laine et comme de la pâte qui se réduit sur une plaque de fer!

THOMAS POLLOCK NAGEOIRE

Lechy, je ne puis supporter votre profanité.

LECHY ELBERNON, *déclamant.*

« *Tout brûle, et la flamme du temps est attachée à nos os, et les compagnies d'assurances n'y peuvent rien.*

« *Et elle ne périt point après que nous sommes morts, et il ne nous reste plus que quelques os comme des pierres, et elle s'y attache encore.*

« — *O! que je voie encore*

« *La fin de l'année et la feuille couleur de joue,*

« *Quand la journée est depuis le matin comme un soir et que le ciel toujours est pur,*

« Et la saison de consommation, alors que la forêt pareillement et les arbres isolés

« Rendent témoignage à l'automne et que s'enflamment les érables et les soumacs!

« Et les uns sont comme revêtus d'or qui tient à peine, et les autres comme de grands hêtres s'agitent dans leurs falbalas marron.

« Et d'autres sont encore verts et les autres sont roses et rouges!

« Que je revienne alors par le chemin quand souffle le vent gros et froid!

« Et la mer est comme du feu bleu et les rivages en sont peints en jaune.

« Et, du bateau que rudoient les eaux sombres, je regarde du côté où s'étend la terre immense,

« Les cieux écarlates et verts où brille une étoile grosse comme une noix. »

THOMAS POLLOCK NAGEOIRE

Regardez si elle ne pleure pas.

LECHY ELBERNON, *à demi-voix.*

« Je suis sortie dans le milieu du jour et d'abord j'ai trouvé

« Une tortue sur le rebord du fossé.

« Il va pleuvoir.

« Entre les champs d'herbe et de fleurs blanches la mer est bleue comme l'écaille de la moule.

« Et dans le feuillage sombre du tulipier des fleurs jaunes brillent comme des lampions d'or. »

— Mais cela se rapporte à autre chose.

On voit sur l'herbe éclairée par la lune l'ombre longue d'un cheval qui court çà et là.

THOMAS POLLOCK NAGEOIRE

Qu'est-ce que cela?

LECHY ELBERNON

Je sais ce que c'est!

Cours! va! arrête ce cheval que son cavalier ne peut pas diriger.

(Thomas Pollock Nageoire sort en courant et revient un instant après, ramenant un cheval sur lequel le corps de Louis Laine est attaché.

Il le détache, et Marthe, le reconnaissant, reste un moment comme en défaillance.

Puis elle le prend sans rien dire dans ses bras, le maintenant sur son genou.)

Prends-le et garde-le maintenant! Prends-le, je te le rends.

Il est à toi maintenant et il ne t'échappera plus. Tiens-le.

Mets-le dans ta robe et vois comme il est grand et lourd, lourd et non pas léger.

Ne sois plus jalouse! maintenant il est à toi toute seule.

Retire-lui les boyaux! retire-lui le cœur, le mettant à part dans un pot. Croise-lui les mains sur la poitrine et attache-lui la tête sur les genoux.

Et conserve-le dans ta chambre, l'ayant mis dans une jarre de millet.

Ne t'ai-je pas bien vengée? Car, à l'endroit dans les pierres brunes

Où le Sagadahoc en écumant s'échappe d'entre les montagnes difformes,

Il marchait dans le torrent, se couvrant de l'ombre de la rive et des arbres.

Mais il ne trompait pas l'œil du chasseur et le fusil qui suit et vise.

Et, comme le dindon au plumage de cuivre qu'un coup de feu abat dans son vol,

C'est ainsi qu'il tomba et se coucha dans l'eau et dans les pierres.

Et j'ai ordonné

Qu'on l'attachât sur le dos de cette bête que l'intelligence ne conduit pas. Et voici que le cheval te l'a rapporté.

Tiens-le donc et regarde-le! Il est à toi, rassasie-toi de lui!

Car la femme est jalouse et profonde et elle ne veut point de partage.

Et son sort est d'aimer et de ne pas être aimée, car l'homme ne l'aime point.

MARTHE

Pourquoi t'es-tu séparé de moi?

Ne m'as-tu pas juré, lorsque tu m'as connue,

Que tu oubliais le monde et que tu avais perdu le chemin pour y revenir?

Et moi je t'aimais et je souffrais amèrement entre tes mains et je te donnais mon cœur à manger

Comme un fruit où les dents restent enfoncées.

Et voilà que tu m'as quittée comme si je te faisais horreur.

Laissez-moi vous regarder, ô époux! Que dites-vous? Répondez, froides lèvres!

Vous êtes mort et votre servante ne vous peut plus servir.

O quelle douleur il y a sur votre pâle figure! et pourquoi me regardez-vous ainsi avec cette expression d'étonnement et de reproche?

Il y a une manière dont j'aurais dû t'aimer, et je ne t'ai pas aimé de celle-là.

Et vous me regardez avec vos yeux attentifs.

LECHY ELBERNON

Et moi, est-ce que je ne l'ai pas aimé et est-ce que je n'ai pas à me plaindre aussi?

Celle qui reste à la maison attend

Que quelqu'un ouvre la porte et la pousse.

Personne n'est venu,

Et je suis sortie par les lieux sauvages et arides, portant

Un vase plein avec moi, par le désert de sel.

Et il s'est brisé et l'eau des larmes s'est répandue en moi,

Comme une source perdue dont le passant dit: « Il y a de l'eau, car l'herbe est verte », et il n'y trouve que de la boue.

Et je bois cette eau moi-même et j'en suis enivrée.

Riez de moi, parce que je suis ivre et que je ne peux pas marcher droit! Je suis perdue et je ne sais où je suis.

(*Elle fait quelques pas en chancelant.*)

Vous riez parce que je ne marche pas droit? Et vous? Essayez un peu,

Regardez comme je fais bien la femme ivre!

(*Elle marche çà et là en chancelant.*)

« *Qui est-ce qui me tire mon chapeau par derrière?*

I like some drink. (chantant) *Two little girls in blue...* »

Les enfants lui jettent de l'eau sale et de la boue, mais elle est contente et elle marche la bouche ouverte.

Et son idée est seulement d'aller dormir quelque part.

Et moi aussi, je voudrais dormir, dormir! Mettez-moi un pavé sur le dos.

Elle s'étend par terre et se met à ronfler.
Silence prolongé.

MARTHE

Thomas Pollock, pensez-vous que la vie ne vaille que d'être gaspillée ainsi?

THOMAS POLLOCK NAGEOIRE

Que voulez-vous que je réponde? Je ne sais plus rien.

Je pense que la vie de chacun a son prix pour les autres.

MARTHE

C'est votre avis? Pensez-vous que la vie des autres ait son prix?

THOMAS POLLOCK NAGEOIRE

Oui.

MARTHE, *tirant de la poche de Louis Laine le paquet de dollars.*

Prenez!

C'est pour avoir cet argent un moment dans sa poche qu'il vous a livré sa femme

Et sa propre vie.

Reprenez cela! c'est à vous.

O Laine! ô Laine! c'est ainsi que tu m'as trompée jusqu'à la fin!

Tu as vendu ta femme et tu as possédé du papier.

Et tu as préféré le papier que la main chiffonne et pétrit.

Pour moi, je t'ai paru ennuyeuse et la vie

Ne t'a paru de nul prix auprès des rêves.

Reprenez cela, Thomas Pollock, cela vous revient. Voyez si le compte y est.

Reprenez ce papier avec la valeur qu'on a écrit dessus, afin qu'on ne s'y trompe pas.

Soyez heureux! Transformez tout en papier afin que vous puissiez le mettre dans vos poches.

THOMAS POLLOCK NAGEOIRE

Je reprendrai ce papier, car il ne faut pas le jeter.

Et l'argent est une bonne chose pour ceux qui savent s'en servir.

(*Il se lève.*)

La journée est finie et une autre est commencée. Voici que je me lève. O que les jambes me semblent pesantes!

Douce-Amère, quel que soit le mal que je vous ai fait, pardonnez-moi.

(*Marthe incline la tête.*)

Qu'allez-vous faire maintenant?

MARTHE

Je vais faire ma robe de deuil, car je suis veuve.

THOMAS POLLOCK NAGEOIRE

Est-ce que je puis vous aider en quelque chose?

MARTHE

Thomas Pollock, je suis plus riche que vous ne l'êtes.

THOMAS POLLOCK NAGEOIRE

Cela est vrai, car me voici à pied.
Comme il me semble que j'ai vieilli!
Je suis vieux et il va falloir que je me remette sous la main d'un autre.
Mais je n'ai plus de courage et ce cœur que j'avais au travail; je collais à mon idée comme une huître qui s'incruste dans la pierre!
O Douce-Amère, je me souviendrai toujours de vous!
Qu'est-ce qu'il faut faire maintenant?

MARTHE

Prenez soin de cette femme qui est là.

THOMAS POLLOCK NAGEOIRE

Je le ferai.

MARTHE

Thomas Pollock! apprenez une chose du prodigue! apprenez une chose de l'avare!

Apprenez une chose de l'homme ivre et du jeune homme qui aime d'un amour déréglé.
Et apprenez une chose des femmes.

THOMAS POLLOCK NAGEOIRE

Qu'allez-vous faire maintenant?

MARTHE

Que sais-je? Me voici veuve.
Hélas, Laine! O
Mon mari! ô la seule chose que j'avais!
Mais cela est bien ainsi.
Oui, il est bon que tu sois mort et que je me trouve ainsi seule et désolée,
Et il est juste et bon qu'il n'en ait pas été selon que j'aurais voulu.
Ce n'est pas à moi de savoir pourquoi, car je suis une simple femme, et je n'ai affaire que d'obéir.
Nous ne voyons pas Dieu; mais nous voyons l'homme qui est l'image de Dieu,
Et ne louerons-nous pas le soleil qui nous permet de le voir et de le regarder?
Non, je ne sais ce que je ferai.
C'est assez du jour présent, c'est assez que de vivre aujourd'hui, et de faire ce qu'on a à faire avec soin.
Je coudrai, travaillant à l'ouvrage que j'ai sur les genoux.

THOMAS POLLOCK NAGEOIRE

Voulez-vous me donner la main?

Elle lui tend la main, qu'il serre en silence.

MARTHE

Aidez-moi à le rapporter dans la maison.

Ils sortent, emportant le corps.

FIN

L'Échange

DEUXIÈME VERSION

PERSONNAGES :

LOUIS LAINE

THOMAS POLLOCK NAGEOIRE

MARTHE

LECHY ELBERNON

ACTE PREMIER

L'Amérique. Littoral de l'Est (Caroline du Sud).

Louis Laine, nu. Il vient de sortir de l'eau.

Marthe (grand chapeau de paille, attaché sous le menton par un ruban), sur un pliant, raccommodant les vêtements de Louis Laine.

Une balançoire accrochée à un portique ou à ce qu'on voudra.

De préférence quelque temps après la Guerre de Sécession, ce qui peut donner le mieux l'impression d'une espèce de moyen âge américain.

LOUIS LAINE,
s'étirant longuement,
de toute la longueur de la phrase.

La journée qu'on voit clair et qui dure jusqu'à ce qu'elle soit finie!

MARTHE

Dis, Louis, toute la nuit il a plu

A verse, tu sais, comme il pleut ici, et j'écoutais l'eau, songeant à tous ceux qui l'écoutent.

(*Elle coud.*)

A ce même instant, qu'ils se soient réveillés ou ceux qui ne peuvent pas dormir.
La mer à la marée de minuit débordait
Avec tout ce bruit qu'elle fait, crachant contre la porte fermée.
La voilà qui s'est retirée.
Mais tu n'as pas passé la nuit dehors?

LOUIS LAINE

Bah!
J'ai vu bien d'autres temps!
Rassure-toi. J'étais couché dans un lit (*jeu de la serviette*), un très bon lit.

MARTHE

Où cela?

LOUIS LAINE
(*chanté sur deux notes*).

Chez eux...

MARTHE

Tu as bien fait de ne pas passer la nuit dehors.

LOUIS LAINE (*même gamme*).

Pouah! J'étais empêtré dans le chaud, j'étais emmêlé dans les draps!
Et je suis sorti de la maison, mal réveillé encore, riant, rêvant, et des pins
De grosses gouttes me tombaient sur l'épaule, (*rapide :*) ça me roulait du haut en bas! Et alors la

mer! On se connaît bien tous les deux, la mer, on s'aime bien tous les deux, c'est comme du lait de vache pour moi!

J'ai cru que je n'en aurais jamais fini de descendre et de descendre!

Et de remonter. Et qu'est-ce qui est arrivé pendant ce temps-là? Le soleil qui avait fait le coup de se lever pendant ce temps-là! Le vieux brigand qui avait fait le coup de se lever pendant ce temps-là! Je n'ai eu que le temps de replonger pour aller la chercher!

MARTHE

Pour aller chercher la quoi?

LOUIS LAINE

La pièce d'or qu'il avait jetée dans l'eau pour que j'aille la chercher

Avec les dents!

MARTHE

Tu me l'as rapportée?

LOUIS LAINE

Je crois bien que je l'ai avalée.

MARTHE

Oui, je t'ai vu qui faisais le lion marin. C'est bon de se laver.

LOUIS LAINE

Sûr que c'est bon de se laver!

Un temps.

MARTHE

Est-ce que nous partons demain comme tu l'avais dit?
Il est temps que je le sache.

LOUIS LAINE (*chanté*).

Demain...?
Il n'y a pas de demain
C'est assez d'aujourd'hui pour moi.

MARTHE

Maintenant que les patrons sont revenus...

Une pause.

Louis Laine est allé s'asseoir sur l'escarpolette et se balance rêveusement. Peu à peu le mouvement se transforme en paroles.

LOUIS LAINE,
les bras écartés de toute leur longueur.

Je vole dans l'air comme un busard, comme Jean-le-blanc qui plane!
Et je vois la terre apparaître sous les flammes du soleil et j'entends
Le craquement de l'il lu mi na tion gagner!
La terre sous le succès du soleil, les fleuves et ces eaux de tous les côtés qui y vont et les passants sur les routes qui se déplacent   petitement
(*Rythmé par le balancement :*) et les chemins de fer   et les maisons éparses   et toutes ces villes rouges   divisées par les rues   dans la fumée! (*e muet*)
— Moi (*plus bas :*), je regarde seulement si je

ne trouverai pas un lapin avant qu'il rentre au bois, ou une dinde sur la branche.

MARTHE (*elle vient s'asseoir à côté de lui sur la balançoire*).

Dis-moi...
J'aimerais mieux m'en aller, comme tu l'avais dit...

LOUIS LAINE

Pourquoi?

MARTHE

Tu me disais que nous vivrions quelque part, là-bas, et que nous aurions une maison à nous...
Bien sûr je ferai ce que tu voudras, Louis!
(*Profondément :*) Je n'aime pas ces gens d'ici.
Sans doute c'est très gentil qu'ils t'aient pris ainsi ici pour surveiller.
Mais je n'aime pas cet homme quand il vous regarde ainsi fixement, la main dans sa poche, comme s'il comptait dedans ce que vous valez.
Et cette femme, c'est sans doute sa femme (*avec expression :*)
Avec ces yeux qu'elle a
Et cette manière de rire...

LOUIS LAINE

Screeching, on dit.

MARTHE

Screeching, c'est ça. *Screeching*.

LOUIS LAINE, *lui prenant le bras et s'en servant pour désigner quelque chose dans le lointain.*

Tu vois?

MARTHE

Je vois quoi?

LOUIS LAINE

Quelque chose pendant que tu disais des bêtises. Une fumée...

MARTHE

Je ne vois pas de fumée.

LOUIS LAINE

Là-bas! C'est la Vieille-de-dessous-la-Vague qui fait la cuisine!

Elle a des coquillages pour oreilles. Sa cheminée dépasse quand le flot est bas.

(*Assez rapide :*) Et les chambres sont pleines de défroques de marins, plus que les comptoirs de prêts sur gages, et de montres et de sifflets,

Et de cloches avec le nom du navire et de pièces d'or et d'argent que la mer a usées comme des graviers : et de sacs de grenats.

(*Il lui bouffe cela dans la figure, les deux mains autour de la bouche :*) Un jour que le chauffeur du « Narragansett »...

MARTHE

Tu as toujours des histoires à raconter.

LOUIS LAINE

Je sais que tu n'aimes pas ça, mais pourquoi que ça serait défendu de l'agacer un peu, c'te personne?

MARTHE

Continue!

LOUIS LAINE

Je n'ai pas été élevé dans les villes.
Une araignée

(*Il lui prend le poignet.*)

Une araignée
M'avait attaché par le poignet avec un fil et j'avais de l'herbe jusqu'au cou
Et du milieu de sa toile elle me racontait des histoires telle qu'une femme assise.
Et je connaissais les fourmis selon leur nation,
Quand elles vont et viennent comme les types qui déchargent les bateaux, comme les scieurs de long qui s'en vont portant une planche sur leur épaule.
C'était chez ma nourrice.
Ensuite mon père — mon père? était-ce mon père, je n'ai jamais eu père ni mère, je suis né tout seul!
Il m'avait pris avec lui à son bureau, mais je ne savais rien et j'allais passer la journée dans le trou à charbon
Pour lire la Bible et je prenais de l'argent dans la caisse.
J'ai du sang d'Indien dans les veines. Ils avaient un dieu qu'ils appelaient « le Menteur ».

Parce qu'il n'est pas revenu. « Le Menteur », tu comprends?

MARTHE

Je comprends.

LOUIS LAINE

On ne sait rien sur eux. Ni par où les hommes rouges sont arrivés

N'emportant rien avec eux dans cette terre qui était comme un fonds abandonné et il y avait trop de place pour eux.

Et ils vivaient faisant la guerre aux animaux qui y étaient déjà : en bonne entente et amitié.

Et les uns et les autres, tout le monde se connaissait par son propre nom, son vrai nom, on était en famille tous ensemble quoi!

Mais les blancs sont arrivés.

Et alors ce n'est plus la même chose, il y a eu Tom, Jack, Dick, chacun avec son petit lopin de terre à lui, pas à un autre, tu comprends, c'est défendu!

Et tout ce qu'on est arrivé à lui faire pousser, à c'te sacrée saloperie de vieille terre, c'est pas croyable!

— Et l'ancien guerrier s'en va comme sur l'aile de la fumée.

Maintenant je vois les millions d'hommes qui vivent ici.

Il remonte la balançoire à bout de jambes.

MARTHE

Tu me fais mal!

Il lâche la balançoire.

LOUIS LAINE

Menuisier! je voudrais être menuisier.

De nouveau la balançoire à bout de jambes.

MARTHE

Pourquoi menuisier?

LOUIS LAINE, *hurlant.*

Conducteur de diligence en Californie!

Il lâche la balançoire.

MARTHE

Tu me fais mal au cœur.

LOUIS LAINE, *debout et comme inspiré,*
claquant des doigts,
lyrique, dansant (?),
en tout cas trépignant.

L'active scie.

Flamboie au travers de la planche, il est dix heures, dix heures du matin et les usines, sont pleines et les écoles et l'ouvrier à genoux,

Un boulon entre les dents, ramasse sa pince, et à l'intérieur de la Bourse

Les hommes d'argent aux yeux de sourds aboient et télégraphient avec les mains!

Et la nuit ramène la volupté.

(*Toute cette phrase doit être dite d'un seul trait descendendo jusqu'à* euil — *ralentir sur les dernières syllabes :*) Moi, je ne fais rien de tout le jour et je chasse tout seul, écoutant le cri de l'écureuil pendant que les rayons du soleil changent de place.

(*Fin de la danse.*
Se retournant brusquement.)

— Et qu'est-ce qu'il reste d'argent dans le sac à Madame?

Il va regarder. En effet il y a un sac, et dedans un autre sac, et dans un sac un autre sac.

MARTHE

Il ne reste plus rien.

LOUIS LAINE

De tout cet argent que tu avais emporté?

MARTHE

Il ne reste plus rien.

(*Louis Laine se retourne et la regarde longuement et pensivement. Il fait le geste de se mettre les mains dans les poches, c'est dommage qu'il n'ait pas de poches.*)

Mais oui, c'est bien vrai, il ne reste plus rien, pourquoi me regardes-tu ainsi?

LOUIS LAINE, *inspiré soudainement.*

Épicier!

Épicier, épicier, je te dis! on se fera épicier dans l'Ouest!

MARTHE

Avec quel argent épicier!

LOUIS LAINE, *presque chantant.*

On se fera épicier dans l'Ouest avec l'argent de Thomas Pollock Nageoire!

Avec l'argent de Thomas Pollock Nageoire *incorporated,* on se fera épicier dans l'Ouest! C'est *incorporated* dans la firme qui m'a conseillé ça!

MARTHE

Tu veux dire sa femme.

LOUIS LAINE

Je veux dire sa femme.

(*Il lui fait signe de l'œil de s'asseoir sur la balançoire. Il va s'asseoir à côté d'elle, mais dans le sens opposé, de sorte que pour se voir il faut le faire exprès. Petit balancement un moment pour faire venir l'inspiration.*)

Tu vois? On ne tient plus à la terre tous les dcux. On est des anges! On ne tient plus que l'un à l'autre.

MARTHE

Fais attention de ne pas me lâcher.

LOUIS LAINE

Tu ne trouves pas? On est très bien comme ça. Entre mari et femme, quand on ne se voit pas, c'est là qu'on s'entend le mieux.

MARTHE

Je ne te vois pas, mais je te tiens tant que je peux; ah! je l'ai bien compris tout de suite qu'il le fallait que je te tienne tant que je peux, mon petit gars, tant pis pour toi si tu me lâches!

C'est drôle que nous nous soyons ainsi amatelottés ensemble, sens devant dimanche, à l'envers l'un de l'autre comme des danseurs

Qui tournent autour l'un de l'autre sans jamais parvenir tout à fait à se voir la figure!

LOUIS LAINE

C'est le cœur qui est important!

Il tord brusquement les cordes de la balançoire, de manière à se placer tous les deux dans la position inverse.

MARTHE

Reste tranquille, tu me fais mal!

Retour à la première position.

LOUIS LAINE

J'aime te faire mal.

MARTHE

Fais-moi mal! Un *job!* c'est un *job* que l'on dit ici? On m'en a foutu un *job* avec toi, espèce de peau-rouge!

LOUIS LAINE

Tu peux le dire!

MARTHE

Comment faire pour te lâcher? tu te casserais tout de suite!

Et moi, je t'aime, Laine! Je ne veux pas qu'on me le casse, mon peau-rouge de l'autre côté du sens commun.

Je suis malheureuse, Laine! je suis jalouse, Laine! Non, je sais, ce n'est pas cela qu'il faut dire, ne te fâche pas!

J'ai mal à toi! C'est bête d'avoir mal à quelqu'un!

Qu'est-ce qu'il me fait encore, l'idiot, quand il est tout seul? qu'est-ce qu'il a inventé? dans quel état c'est-i que je vais le retrouver? quelle farce qu'il me prépare?

Je me demande qui c'est qui me l'a adjugé pour que je m'en occupe, cette espèce de pendu dépendu?

LOUIS LAINE

Je me le demande aussi. Et cependant il n'y a pas à en douter que nous étions faits l'un pour l'autre. Sens devant dimanche!

Tu crois que j'aime ça tant que ça d'être faits l'un pour l'autre? J'ai vingt ans! Tout le monde est sûr que j'ai vingt ans. A vingt ans, ce n'est pas si drôle que ça d'être faits l'un pour l'autre.

MARTHE

Drôle ou pas.

LOUIS LAINE

Et alors, alors,

C'est défendu de faire un petit essai de temps en temps?

MARTHE

N'essaye pas!

LOUIS LAINE, *bêtifiant.*

Une espèce de petit essai artistique?

MARTHE

N'essaye pas! ne fais pas le malin! ça tournerait mal pour toi, j'en suis sûre.

LOUIS LAINE

Je t'ai parlé d'une araignée tout à l'heure.

Ce n'est pas vrai. C'est une chouette. Une espèce de chouette dans la forêt qui chante comme un coucou. J'ai jamais réussi à la retrouver.

MARTHE

C'est moi, la chouette?

LOUIS LAINE

Tu n'es pas une chouette, tu es mon rossignol. Il n'y a que là-bas de l'autre côté du monde...

MARTHE

Le vrai?

LOUIS LAINE

Le vrai. Qu'il y a des rossignols et des rossigno — les.

MARTHE

La rossigno — le ne chante pas.

LOUIS LAINE

Lui chante.

MARTHE

Je ne t'ai jamais entendu.

LOUIS LAINE

Il fallait écouter.

(*Profond silence. Il rêve.*)

« Belle ! belle ! belle ! »

MARTHE

Qu'est-ce que tu veux dire avec ton « Belle ! belle ! belle ! » ?

LOUIS LAINE

« Belle ! belle ! belle ! » tu ne te souviens pas ?
Il y avait un drap de lit étendu par terre et quelqu'un qui tapait sur une casserole avec une pierre en disant « Belle ! belle ! belle ! »

MARTHE

Je me rappelle ! C'est comme cela chez nous que l'on fait pour cueillir les abeilles, les essaims d'abeilles !
Ils s'abattent sur le drap et alors toute prête pour eux, la ruche !

LOUIS LAINE

Moi, je t'écoutais derrière la haie, j'avais soif, ô que j'avais soif ! Je n'ai pas résisté, j'ai sauté la haie !

MARTHE

Et tu es venu t'asseoir derrière moi.

LOUIS LAINE

Tu as eu l'air de trouver cela tout naturel, comme si tu m'attendais.

MARTHE

Je t'attendais.

LOUIS LAINE

Je te vois encore qui me regardais du coin de l'œil derrière toi en riant,

Assise par terre, et moi aussi je me suis assis derrière toi par terre.

Il y avait une grosse tartine de pain de ménage que tu étais en train de beurrer pour les enfants,

Tu me l'as donnée.

MARTHE

Elle était bonne?

LOUIS LAINE

Le cidre aussi était bon. J'avais soif, j'avais faim.

Ça sent bon les tilleuls au mois de juin.

MARTHE

C'est arrangé pour que ça aille ensemble avec les foins coupés.

LOUIS LAINE

Et moi, derrière toi, tu sais, je te regardais le cou.

MARTHE, *troublée.*

Oui...

LOUIS LAINE

Tu m'as blessé, mon amie, avec un seul cheveu de ta nuque...

C'est dans la Bible!

Et alors par-dessus le foin, par-dessus les tilleuls, il nous est arrivé quoi? dans la figure? ce grand soufflet de roses rouges!

MARTHE

C'était bien fait pour toi!

LOUIS LAINE

Tout ça, je me rappelais tout ça sur le bateau.

Toi, c'était le pilote, on t'avait mise en avant pour nous trouver la route, c'était toi, le pilote.

Et moi, à ta place, je m'étais posté en arrière, la figure tournée vers le vieux pays —

« Belle! belle! » qu'il faisait tout bas là-bas, le vieux pays, en tapant sur une casserole —

Qui lui faisais des grimaces.

Croirais-tu? j'ai été sur le point de dire au capitaine de retourner.

MARTHE

Pas possible, il y avait cette grosse étoile en avant de nous qui empêchait.

LOUIS LAINE

C'est vrai, et puisqu'on était parti, autant continuer.

MARTHE

Et tu sais, je vais te dire, je l'ai retrouvée ici...

LOUIS LAINE

Qui retrouvée?

MARTHE

L'étoile, bien sûr? C'est comme les oiseaux, elle a un nid bien caché, sous les branches, entre les roseaux. Toutes ces longues nuits, pendant que tu me laisses seule, je cause avec elle.

LOUIS LAINE

Thomas Pollock, tu sais ce qu'il veut en faire, de cet endroit où nous sommes?
Un sanctuaire. Un sanctuaire où il n'y en ait plus que pour les oiseaux et pour les plantes rares. La nature seule. C'est moi qui serai le gardien.
Pas avec un képi vert comme en France, avec un vrai fusil qui part, pour chasser les mauvais garçons!

MARTHE

Un *sanctuaire*. J'aime ce nom.
Tu sais que j'y ai été, je l'ai reconnu tout de suite.
Ces longues chevelures comme des voiles de veuves qui pendent aux branches. On n'invente pas ça. Quelqu'un m'a menée ici en rêve.

LOUIS LAINE

On appelle ça des *mousses espagnoles,* mais ce n'est pas des mousses, elles ne tiennent pas à l'arbre.

On les a jetées sur les branches comme de grandes mantilles, avec chic!

(*Renversé en arrière.*)

Parce que ça faisait bien.

Et l'eau par-dessous, il y a des endroits que l'eau par-dessous, c'est tout noir comme de l'encre à cause d'un certain fruit qui tombe dedans. Comme du verre noir.

Et alors là-dedans ce que les azalées s'en payent au printemps de feux d'artifice!

MARTHE

C'est le pays que j'ai lu dans un livre. Une certaine vierge qu'un dieu avait enlevée pour la conduire ici. Et son amant est venu la rechercher pour la ramener dans le vrai pays, dans le pays vrai. Mais attention! il n'avait pas le droit de se retourner! Il s'est retourné.

LOUIS LAINE

Il ne fallait pas.

MARTHE

C'est tout à fait notre histoire, je veux dire tout le contraire. C'est toi ici que j'étais allée chercher en rêve au fond de ce « sanctuaire ». Ce ne sont pas les voiles qui leur manquent, à toutes ces présences autour de nous.

Mais ça ne finit pas la même chose. C'est toi qui m'as ramenée.

LOUIS LAINE

Tiens-moi bien crainte que je ne disparaisse un

beau jour on ne sait comment au milieu de toutes ces présences voilées!

MARTHE

Faut pas dire de bêtises. Présences voilées ou pas, on ne se volatilise pas comme ça, mon petit gars, sans que je m'en aperçoive!

Pourquoi est-ce que tu serais venu me chercher alors? Et alors de mon côté, pourquoi (*léger arrêt*)

Que je serais venue te chercher au milieu de cette mare à crapauds?

LOUIS LAINE

Ce n'est pas une mare à crapauds, c'est un sanctuaire.

MARTHE

Un sanctuaire à crapauds. J'en entends un toutes les nuits qui a une voix de chantre.

LOUIS LAINE

Il exhorte la lune.

MARTHE

Il exhorte la lune et moi, j'exhorte cette espèce d'étoile qui s'était cachée dans la boue. Ah! comme elle s'était bien cachée! Je l'ai trouvée tout de même!

LOUIS LAINE

Je n'aime pas qu'on me trouve.

MARTHE

C'est toi, mon job! Si tu me fais long feu, quel dommage! A quoi c'est que je sers alors?

LOUIS LAINE

Je n'aime pas qu'on me trouve.

MARTHE

Je t'ai trouvé tout de même. Est-ce que tu crois que je ne l'ai pas compris, ce profond sanglot d'un homme qui pour la première fois s'enfonce dans une femme? ce pauvre enfant né de personne à qui le bon Dieu a envoyé une mère? Ah! je t'ai juré quelque chose à ce moment, tu n'y peux rien! Pas à toi, à cette espèce d'étoile au milieu de soi dans la boue que je m'entendais battre!

LOUIS LAINE

C'est toi qui vas me mettre au monde?

MARTHE

Au monde, pourquoi pas? Ce n'est pas intéressant de venir au monde? Cette étoile qu'on était sans le savoir de la sortir? Au lieu de se sauver? d'être le compère à quelqu'un, cette étoile qu'on était sans le savoir, la sortir, c'est son job à c'te personne! de la sortir! Quelqu'un de plus fort que vous!

C'est comme ton Amérique! Tu me crois qu'elle me fait peur, ton Amérique! Elle ne me fait pas peur, je suis plus forte qu'elle!

LOUIS LAINE

Que veux-tu de moi?

MARTHE

Je veux que tu sois d'accord avec ce jurement que jadis au plus profond de mes entrailles tu m'as juré!

LOUIS LAINE

Je suis d'accord.

Entrent Thomas Pollock Nageoire et Lechy Elbernon.

Thomas Pollock Nageoire a un haut-le-corps en voyant le costume indiscret de son employé et se met devant sa compagne pour lui épargner ce spectacle.

Silence embarrassé.

LECHY ELBERNON

Votre pantalon, *damn fool!*

Elle étend son châle ou déploie son ombrelle ad libitum, *de toute sa longueur, pendant que Louis Laine réintègre son pantalon.*

(*Faisant le geste de souffler dans une trompette :*) Le patron! taratatata! je vous présente le patron! Il arrive! Il vient d'arriver! il est arrivé! Et tout de suite il a voulu entrer en possession de ses hôtes distingués! On n'a pas eu le temps jusqu'ici de faire connaissance! Alors il a voulu se les payer tout de suite! pas un moment à perdre!

LOUIS LAINE, *maintenant convenable, mais le torse nu.*

Je vous croyais au Canada.

Un temps.

Thomas Pollock Nageoire désigne du menton la pièce manquante de l'accoutrement de son interlocuteur, quelque chose à carreaux rouges qui sèche sur une corde.

LOUIS LAINE, *interloqué.*

Je vous croyais au Canada.

Thomas Pollock Nageoire : même mimique. Lechy Elbernon en riant va décrocher la chemise du bout de son ombrelle et la lui tend, puis se place devant lui le dos tourné pour lui servir d'écran. Après quoi Louis Laine apparaît all complete.

Un temps.

THOMAS POLLOCK NAGEOIRE

Non, j'arrive de Denver.

Silence. Les quatre personnes se regardent longuement, prenant mesure l'un de l'autre.

LOUIS LAINE

On dit que ça ne marche pas là-bas.

THOMAS POLLOCK NAGEOIRE

Yes, sir! Ils sont dans l'eau chaude, c'est positif, depuis que l'Inde a arrêté la frappe de l'argent. Le dollar vaut cinquante-quatre cents, *man!*

L'or est tout ; il n'est valeur que de l'or. Personne ne croit plus à l'argent.

Moi, je l'ai toujours dit : une seule valeur, un seul prix, un seul métal.

LOUIS LAINE

Mauvais pour les affaires, hé ?

THOMAS POLLOCK NAGEOIRE

Well !

LOUIS LAINE

Bon ! Cela vous est égal.

THOMAS POLLOCK NAGEOIRE

Well !

MARTHE

Vous êtes commissionnaire, je crois ? Comment dit-on ?

THOMAS POLLOCK NAGEOIRE

Je suis tout.

LECHY ELBERNON

Tout ! il est tout, vous comprenez !

THOMAS POLLOCK NAGEOIRE

J'achète tout, je vends tout. Si vous avez des vieux souliers à vendre, apportez-les-moi.

LECHY ELBERNON

Est-ce que vous n'avez jamais vu sa maison de New York ?

THOMAS POLLOCK NAGEOIRE

Old Slip, see?

C'est à gauche : la vieille maison où il y a une horloge.

Il faudra que je vous montre ça.

Il y a beaucoup de choses là-dedans. Comme les dynamos sont dans le sous-sol des hôtels et comme les églises sont bâties sur les ossements des saints, toute la fondation

Contient l'or et l'argent dans les coffres-forts qui sont rangés comme des foudres et le dépôt des titres et des valeurs.

Et comme le dimanche on envoie la petite fille chercher la bière dans un pot,

C'est ici qu'on va tirer son argent.

(*Avec une solennité religieuse* :) Et au-dessus est la Caisse.

Au milieu la Caisse, et à droite ma banque et à gauche l'office de fret et d'armement.

Et en haut, c'est là que je suis,

Moi Thomas Pollock Nageoire *incorporated* et là est le service télégraphique.

Tac, tac tac! tac tac! tactac!

Voilà Chicago, Voilà Londres! Voilà Hambourg!

Et je suis là comme au milieu de mains qui font des signes, comme quelqu'un qui écoute et comme quelqu'un qui demande et qui répond.

LECHY ELBERNON

Hardi!

Le voilà qui allume, comme quand il a quelqu'un à enfoncer. Hardi, ours blanc!

LOUIS LAINE

You are pretty smart, are ye?

THOMAS POLLOCK NAGEOIRE

Well, il faut du nerf alors que vous vendez ferme comme si vous saviez tout,

Quand je ne sais pas le temps qu'il fera demain; chaque jour a son cours, mais moi je connais les choses elles-mêmes,

J'ai fait toutes sortes de *jobs,* vous savez! Je connais tout, j'ai tout manié, j'ai traité tout.

Et je sais comment ça se fait, et où ça pousse, et quel est le prix du transport, et quel est le stock sur le marché,

Et le taux de l'assurance, et j'ai les échéances devant les yeux, et je connais l'arithmétique aussi.

Et je suis comme un marchand dans sa boutique, comptant.

Car le commerce tient

Une balance aussi, comme la justice;

Et je suis comme l'aiguille qui est entre les plateaux.

LOUIS LAINE, *le désignant des deux doigts avec une admiration sans bornes.*

O......

THOMAS POLLOCK NAGEOIRE

O!

Il n'y a pas de riches dans les affaires.

C'est mon compte dans l'inventaire, voilà tout.

C'est un chiffre dans la liquidation.

SALLE RICHELIEU

2 RUE DE RICHELIEU - PARIS 1ER

L'ECHANGE

1915347

MER 18 JUIN 1997 - 20 H 30

CATEGORIE C

110 F

CORBEILLE

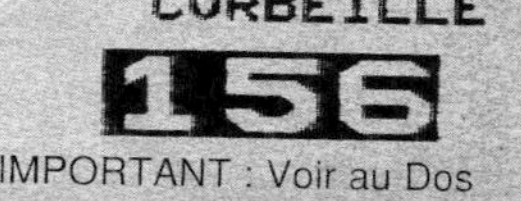

FAUTEUIL

IMPORTANT : Voir au Dos

Comédie-Française

THÉÂTRE DU VIEUX·COLOMBIER

- Les coupons ne sont ni repris, ni échangés.
- Le spectacle commence à l'heure précise.
- Les spectateurs retardataires ne peuvent être placés que lors d'une interruption du spectacle, en fonction de l'accessibilité.
- La revente de ce coupon est interdite. (Loi du 27 juin 1919).
- Si le spectacle doit être interrompu au-delà de la moitié de sa durée, le présent billet ne sera pas remboursé.
- La direction peut être amenée à modifier les programmes ou les distributions ; dans ce cas les billets ne seront ni échangés ni remboursés.
- Il est interdit de photographier, de filmer, d'enregistrer.

Hermieu

1327788

Pause. Louis Laine et Lechy Elbernon causent entre eux.

LECHY ELBERNON

Si, si! j'y tiens! je veux voir comme vous vous êtes arrangés.

LOUIS LAINE

Tant bien que mal.

LECHY ELBERNON

Ça ne fait rien! A New York quelquefois on va dans les *slims,* comme on dit, les taudis, ça s'appelle faire du *slumming*. C'est intéressant.
Venez me montrer votre installation.

Elle lui prend le bras. Ils sortent.

Marthe a repris son travail. Thomas Pollock Nageoire la contemple.

Un temps.

THOMAS POLLOCK NAGEOIRE

Qu'est-ce que vous faites là?

MARTHE

Vous le voyez, je raccommode.

THOMAS POLLOCK NAGEOIRE

Ce n'est pas un ouvrage de lady.

MARTHE

Eh bien, je ne suis pas une lady.

THOMAS POLLOCK NAGEOIRE

Chez nous, les femmes ne travaillent pas.

(*Silence. Il la regarde.*)

Vous êtes plus âgée que lui, n'est-ce pas? Quel âge avez-vous?

Vingt-cinq ans, eh?

MARTHE

Non.

THOMAS POLLOCK NAGEOIRE

Moins ou plus.

MARTHE

Moins.

THOMAS POLLOCK NAGEOIRE

Well.

(*Long silence.*)

Elopement, eh! Sauvée avec lui, eh? Le *dad* ne voulait pas, *didnt he?*

MARTHE

Cela ne vous regarde pas.

THOMAS POLLOCK NAGEOIRE

Bon, ne vous fâchez pas. Chez nous les filles se marient comme elles veulent.

(*Il la regarde sans rien dire.*)

Et est-ce qu'il vous bat, eh?

MARTHE

Qu'avez-vous à me questionner ainsi?

THOMAS POLLOCK NAGEOIRE

Bon, il n'y a pas de mal. Peut-être qu'il est un peu ivre quelquefois. Cependant ayez toujours un revolver.

— Et qu'est-ce que vous avez l'intention de faire?

MARTHE

Vous avez bien voulu nous prendre chez vous.

THOMAS POLLOCK NAGEOIRE

Well, et après?

MARTHE

Je ne sais pas. Est-ce que vous ne voudriez pas le prendre dans votre maison?

THOMAS POLLOCK NAGEOIRE

Écoutez-moi.

(*Solennel :*) Je n'en voudrais pas pour faire marcher l'ascenseur.

MARTHE

Pourquoi dites-vous cela?

THOMAS POLLOCK NAGEOIRE

Il n'est bon à rien. Il ne vaut pas un *cent.*

MARTHE, *se levant.*

Ce n'est pas vrai! Pourquoi dites-vous cela?

THOMAS POLLOCK NAGEOIRE

Il ne sait rien faire de son argent; il ne fait pas attention à ce qu'on lui dit. Il est comme un homme qui n'a pas de poches.

(*Définitif* :) Quittez-le. Il n'y a rien à faire avec lui.

MARTHE

Comment? Mais est-ce que je ne suis pas mariée avec lui?

THOMAS POLLOCK NAGEOIRE

Bon, le divorce n'est pas fait pour rien.

(*On entend Lechy Elbernon qui rit aux éclats.*)

Moi aussi je suis marié.

Du moins... Je ne me rappelle plus bien.

Je crois que nous avons été devant le ministre. J'étais très occupé, vous savez.

Je crois que c'était un baptiste.

Je ne me rappelle plus. Je crois que c'était un pharmacien. Bon.

Le divorce n'est pas fait pour rien, dites?

(*Silence.*)

Comment vous êtes-vous attachée à lui?

MARTHE

Cela me convenait ainsi.

Thomas Pollock Nageoire fait gauchement un pas, un demi-pas vers elle. Mais ses intentions, fort claires, ne doivent être indiquées que par un tressaillement des doigts. Recul de Marthe.

Rentrent Louis Laine et Lechy Elbernon.

LECHY ELBERNON,
les regardant tous deux d'un air ironique.

Hello!

Eh bien! j'espère qu'il ne vous a pas trop ennuyée?

Où en est le « Nyack and Northern »? Est-ce qu'il vous a raconté comment il avait rompu le « corner » des suifs, comme un rhinocéros?

THOMAS POLLOCK NAGEOIRE,
grommelant.

Nonsense!

LECHY ELBERNON,
traînant longuement sur l'è.

Ma chère!

Comme c'est (*aigu*) gentil, votre maison!

Comment faites-vous pour tenir tout cela si propre sans avoir de servantes?

Mais est-ce que c'est vous qui lavez le parquet?

MARTHE

Oui.

LECHY ELBERNON

Comme c'est propre! La servante ne fait pas si bien que cela chez nous.

Vous avez déjà fait un jardin, un vrai jardin! j'ai

vu le linge qui y était étendu. Louis (*elle le regarde du coin de l'œil*)

Voulait m'empêcher d'y aller.

Mais est-ce que vous faites la lessive aussi? Oui? comme cela doit être fatigant!

MARTHE

Je puis travailler.

LECHY ELBERNON

O dear!

Chacun son goût! Moi je n'aimerais pas ça!

(*Un temps.*)

Comme c'est tranquille! La mer est comme un journal qu'on a étalé, avec des lignes et des lettres.

Et là-bas au-dessus de cette langue de terre on voit les grands navires passer comme des châteaux de toile.

— Ma chère, nous parlions de vous. Est-ce que c'est vrai que vous n'avez jamais été au théâtre?

MARTHE

Jamais.

LECHY ELBERNON

O! Et que jamais vous n'étiez sortie de votre pays?

(*Marthe fait un signe que oui.*)

Et voici qu'il vous a emmenée ici.

Moi je connais le monde. J'ai été partout. D'un côté et de l'autre du rideau. Tout le temps d'un

côté et de l'autre du rideau. Je suis actrice, vous savez. Je joue sur le théâtre.
Le théâtre. Vous ne savez pas ce que c'est?

MARTHE

Je ne sais pas.

LECHY ELBERNON (*elle prend position et en avant la musique!*).

Il y a la scène et la salle.
Tout étant clos, les gens viennent là le soir et ils sont assis par rangées les uns derrière les autres, regardant. Regardant.

MARTHE

Quoi? Qu'est-ce qu'ils regardent puisque tout est fermé?

LECHY ELBERNON

Ils regardent le rideau de la scène.
Et ce qu'il y a derrière quand il est levé.
Attention! attention! il va arriver quelque chose!
Quelque chose de pas vrai comme si c'était vrai!

MARTHE

Mais puisque ce n'est pas vrai!

LECHY ELBERNON

Le vrai! Le vrai, tout le monde sent bien que c'est un rideau!
Tout le monde sent bien qu'il y a quelque chose derrière.

THOMAS POLLOCK NAGEOIRE

Un autre rideau?

LECHY ELBERNON

Une *patience!* Ce que nous appelons une *patience!*

Quelque chose qui fait prendre patience! Un rideau qui bouge!

Dans votre vie à vous, rien n'arrive. Rien qui aille d'un bout à l'autre. Rien ne commence, rien ne finit.

Ça vaut la peine d'aller au théâtre pour voir quelque chose qui arrive. Vous entendez! Qui arrive pour de bon! Qui commence et qui finisse!

(*A Louis Laine :*) Qu'est-ce que tu dis du théâtre, bébé?

LOUIS LAINE

C'est l'endroit qui est nulle part. On a mis des bâtons pour empêcher d'entrer. Maintenant on est quelqu'un tous ensemble. On est quelqu'un qui attend. Quelqu'un qui regarde.

MARTHE

Qui regarde quoi?

LOUIS LAINE

Ce qui va arriver.

LECHY ELBERNON

C'est moi, c'est moi qui arrive!

Ça vaut la peine d'arriver! Ça vaut la peine de lui

arriver, cette espèce de sacrée mâchoire ouverte pour vous engloutir,

Pour se faire du bien avec, chaque mouvement que vous lui faites avec art avec furie pour lui entrer! (*Toute cette ligne dite d'un seul trait.*)

Et je n'ai qu'à parler, le moindre mot qui me sort, avec art, avec furie! pour ressentir tout cela sur moi qui écoute, toutes ces âmes qui se forgent, qui se reforgent à grands coups de marteau sur la mienne.

Et je suis là qui leur arrive à tous, terrible, toute nue!

Le caissier qui sait que demain

On lui vérifiera ses livres, et la mère adultère dont l'enfant vient de tomber malade,

Et celui qui vient de voler pour la première fois et celui qui n'a rien fait de tout le jour.

Et moi, je suis celle-là qui leur arrive à grands coups, coup sur coup pour leur arracher le cœur, avec art, avec furie, terrible, toute nue!

LOUIS LAINE

Regardez-la! J'ai peur! Le personnage lui sort par tous les pores!

THOMAS POLLOCK NAGEOIRE

N'ayez pas peur! Elle joue.

LECHY ELBERNON

C'est *moi* qui arrive...

MARTHE

C'est toujours une femme qui arrive.

LECHY ELBERSON

Il est vrai, c'est toujours une femme qui arrive. Elle est l'inconnue, elle est celle-là qui arrive de la part de l'inconnu, il n'y en a pas d'autre qu'elle pour arriver de la part de l'inconnu!

(*Montrant Marthe.*)

Cette madame, par exemple, qui nous arrive de l'autre côté de la flaque aux harengs, voulez-vous que je vous joue son rôle?
Je le jouerai mieux qu'elle!

MARTHE

Pourquoi pas?

LECHY ELBERNON

L'épouse vertueuse qui a une veine bleue sur la tempe,
La jeune fille,
La courtisane trompée,
La pythie, une écume verte aux lèvres, qui mâche la feuille de laurier prophétique,
Et quand je crie, d'une certaine voix que je sais...

MARTHE

Comme ses yeux brillent! Ne me regardez pas ainsi avec ces yeux dévorants...

LECHY ELBERNON

Il me faut bien vous regarder! Qui sait si je n'aurai pas à me servir de vous, ma chère?
Ma chère! Je vous aime beaucoup!
Pourquoi ne venez-vous pas me voir?

Venez. J'ai quelque chose à vous demander.
Et le gentleman aussi je crois qu'il a quelque chose à dire à l'autre gentleman.
Ne le gênons pas, voulez-vous?

THOMAS POLLOCK NAGEOIRE,
à Louis Laine.

C'est vrai, j'ai quelque chose à vous dire.

Les deux femmes sortent.

Thomas Pollock Nageoire le dos au public, la main, redingote écartée, enfoncée dans la poche à revolver.

Il reste ainsi un moment.

Puis brusquement il retire un paquet de la profondeur et le met sous le nez de Louis Laine.

THOMAS POLLOCK NAGEOIRE

Qu'est-ce que c'est que ça, gentleman?

LOUIS LAINE

Away! Qu'est-ce que c'est qu'il a retiré de son frigidaire?

THOMAS POLLOCK NAGEOIRE,
flairant le paquet.

Hum! oui, cela a passé par beaucoup de mains.
Je ne trouve pas que cela sente mauvais.
— Qu'est-ce que c'est que ça, gentleman?

LOUIS LAINE

Du vieux papier qui sent le poisson.

THOMAS POLLOCK NAGEOIRE,
élevant le paquet
avec révérence et solennité.

Oui, mais regardez ce qu'il y a écrit dessus : DOLLAR.
Et si vous pouviez regarder dedans, ce n'est pas la peine de regarder, je suis un honnête homme, cela fait *beaucoup* de dollars.
(*Le geste assyrien :*) Un capital ! Un capital.

LOUIS LAINE

Un capital.

THOMAS POLLOCK NAGEOIRE,
le regardant fixement.

See, man !
Vous dites qu'une chose pèse tant, eh ?
Tant de livres ; et que vous avez tant de *bushels* de grain en stock, tant de gallons de pétrole ;
Et combien tout cela vaut de dollars.
Car comme tout
A
Un poids et une mesure, tout vaut
Tant.
Toute chose qui peut être possédée et cédée à un autre prix. Tant de dollars.

LOUIS LAINE

Well ! je n'ai jamais eu que quelques pauvres petits billets dans mon gousset comme du papier à cigarettes.
Mais regardez le paquet qu'il a retiré de sa poche !

THOMAS POLLOCK NAGEOIRE

Écoutez bien.

Celui qui possède une chose n'a que cette chose-là même et il n'en a point d'autre.

Mais cette chose *vaut*, et en elle il possède ceci, qu'il peut avoir autre chose à la place.

Vous comprenez?

(*Martelant les mots :*) Il possède ceci qu'il peut avoir autre chose à la place.

Autre chose, vous comprenez?

Et il n'a pas de chose qui soit tout le temps bonne. Comme quand on n'a plus faim, il ne paraît plus bon de manger. Et alors il peut la céder à un autre pour son prix.

LOUIS LAINE

On ne peut pas tout avoir. (*Pas de liaison.*)

THOMAS POLLOCK NAGEOIRE

On peut tout
Avoir
Pour son prix
Dans la valeur de l'argent on peut tout avoir.

LOUIS LAINE,
touchant du bout du doigt
le paquet avec crainte et respect.

Well!

THOMAS POLLOCK NAGEOIRE,
le regardant fixement.

Ayez seulement de l'argent

LOUIS LAINE, *regardant les dollars.*

Well, sir!

THOMAS POLLOCK NAGEOIRE,
violemment.

Cash.

LOUIS LAINE

Well, sir!

THOMAS POLLOCK NAGEOIRE,
lui mettant les dollars dans les mains.

Take that, man!

LOUIS LAINE, *fermant à demi les doigts sur les dollars.*

Comment? comment? Qu'est-ce que vous faites? Pourquoi me donnez-vous cela? Je ne veux pas.

THOMAS POLLOCK NAGEOIRE

Take that, man, I say! Prenez cela, je vous dis! Qu'est-ce que c'est qu'un petit millier ou deux de dollars pour moi? (*Violemment :*) Et il y en aura d'autres! Fourrez-moi ça dans vos poches.

LOUIS LAINE

Je n'ai pas de poches.

En conséquence, Thomas Pollock Nageoire plante le paquet de dollars sur la table et l'affirme au moyen de la brique qui servait à caler celle-ci.

THOMAS POLLOCK NAGEOIRE

Et maintenant, écoutez-moi, Monsieur ! Quel âge avez-vous ?

Silence.

LOUIS LAINE

Vingt ans.

THOMAS POLLOCK NAGEOIRE

Vingt ans. Hum ! Pris l'argent du *boss*, eh ?

LOUIS LAINE

J'étais chez mon père. Il fait la banque dans l'Ouest.

THOMAS POLLOCK NAGEOIRE

Écoutez-moi. Que voulez-vous faire ? Parlez-moi franchement, car je puis vous rendre service.

LOUIS LAINE

Je ne sais pas.

Il fait comme s'il voulait parler, puis il indique tout l'horizon d'un grand geste de bras et sourit.

THOMAS POLLOCK NAGEOIRE

Bon, j'ai été comme cela. Je ne pouvais pas rester à la même place à faire la même chose.
Mais voilà ! Vous avez une femme, voilà !

LOUIS LAINE

Bon, elle fait tout ce que je veux.

THOMAS POLLOCK NAGEOIRE

O! Attendez qu'elle ait des enfants.
Vous êtes pris.
C'est sérieux maintenant, il faut faire vivre ça.
Faites de la viande, faites des souliers, faites des habits, Monsieur! Payez, payez, payez!
Vous n'avez plus rien à vous. Vous n'êtes plus à vous vous-même, ni jour, ni nuit.
Il faudra travailler comme un cheval de mine. Et personne ne voudra de vous.

LOUIS LAINE

Pensez-vous que personne ne veuille de moi?

THOMAS POLLOCK NAGEOIRE

Je vous dis la vérité.
Ce qu'il peut y avoir de plus pétrifié en fait de vérité vraie! Non!

Il lève la main.

LOUIS LAINE

Mais comment faire alors?

THOMAS POLLOCK NAGEOIRE

Don't know.

LOUIS LAINE

Je n'aurais pas dû me marier.

THOMAS POLLOCK NAGEOIRE

Vous n'avez pas un sou,
« Un sou rouge », comme on dit ici.

Ah ah! Vous verrez si c'est facile de faire de l'argent sans argent!

Sans argent!

C'est comme de gratter la terre avec ses ongles.

Vous êtes pris.

Ah! ah! Voilà qu'on vous a mis la main dessus. Vous n'irez plus où vous voulez aller.

LOUIS LAINE

J'irai! Personne ne m'a mis la main dessus!

THOMAS POLLOCK NAGEOIRE

Well!

LOUIS LAINE

Je suis libre! Personne ne m'a mis la main dessus! Ma vie est à moi et pas aux autres.

THOMAS POLLOCK NAGEOIRE

Qu'est-ce qu'une femme? Il y a bien des femmes au monde et il n'y en a pas qu'une.

LOUIS LAINE

C'est elle qui a voulu que je l'emmène avec moi.

THOMAS POLLOCK NAGEOIRE,
retirant de sa poche
une poignée de sous et de pièces d'argent
avec une passion contenue.

Regardez ça! Qu'est-ce que c'est que ces sous, gentleman?

Ça,

(*Très souligné :*) C'est la vie, ça, c'est la liberté pour toujours!

Partez! Je vous donnerai ce qu'il vous faudra.

(*Il soupire profondément et ouvre la bouche, regardant toujours Laine en face.*

Un temps.)

Pensez-y, jeune homme! Je suis un homme religieux, mais si je veux (*avec une gravité onctueuse*)

Avoir

Une chose,

Vous comprenez? c'est le devoir! il n'y a pas moyen autrement.

Il faut.

Vous êtes Louis Laine et je suis Thomas Pollock!

Ne vous mettez pas devant moi.

Il faut. Je n'ai pas de temps à perdre.

Qu'avez-vous à vous embarrasser d'une femme?

Pour la rendre malheureuse et que vous soyez misérables tous les deux, bougre d'égoïste!

— Bon. Venez manger avec moi.

Je vous donnerai ce qu'il vous faudra. *Libre!* Libre pour toujours, vous comprenez?

— J'ai été comme cela aussi.

LOUIS LAINE

Je ne sais ce que vous voulez dire.

Un temps.

THOMAS POLLOCK NAGEOIRE

J'ai été comme cela moi-même, mais j'ai eu bientôt réalisé qu'avant tout

Il est bon d'avoir de l'argent à la banque.
Glorifié soit le Seigneur qui a donné le dollar à l'homme,

(*Il soulève son chapeau et le remet.*)

Afin que chacun puisse vendre ce qu'il a et se procurer ce qu'il désire,
Et que chacun vive d'une manière décente et confortable amen!
Tout vaut, comprenez-nous?
N'importe, quoi, *autre chose.* Autre chose, tout est là.
L'argent, c'est *autre chose.*
Faites de l'argent.

LOUIS LAINE

Je veux bien!

THOMAS POLLOCK NAGEOIRE,
violemment.

Faites de l'argent.
J'ai commencé sans le sou, moi, mais je n'avais pas de femme.
Et deux ou trois fois
J'ai perdu tout ce que j'avais! (*Héroïque :*) Ça ne fait rien!
Il y a de tout ici, il n'y a qu'à prendre, prenez à même! vendez, montez sur une chaise, mettez votre nom sur votre chapeau,
Car c'est ici le marché où tout le monde vient acheter.
Ils grouillent noir là-bas et ils n'ont pas assez à manger.

Allez dans l'Ouest, achetez un ranch, si vous n'êtes pas capable d'autre chose!

Faites un sillon, allant aussi loin que vous pourrez, allez-y avec le blé, allez-y avec le maïs, la terre a fait des économies pour vous!

Élevez des cochons! (*Avec un geste grandiose :*) une *mer* de cochons!

Peut-être que je me suis trompé sur vous, vous comprenez la valeur de l'argent.

L'argent, c'est *autre chose.* Vous saisissez? Quelque chose de meilleur et d'encore plus meilleur.

— Bon, restez à déjeuner avec moi. Je vois les ladies qui reviennent.

Entrent Marthe et Lechy Elbernon.

LECHY ELBERNON

Vous êtes une femme étrange. Pourquoi?

Pourquoi restez-vous ici? Pourquoi ne voulez-vous pas venir à la maison comme je vous l'ai demandé, au lieu que de rester dans cette mauvaise cabane?

Au moins dînez-vous avec nous ce matin?

MARTHE

Excusez-moi.

LECHY ELBERNON

Comment?

MARTHE

Louis ira. Je ne puis. Je ne me sens pas bien.

LECHY ELBERNON,
montrant un papillon sur l'herbe.

Quelque papillon noir?

MARTHE, *montrant le papillon.*

Regardez! Quand il vole, il est noir,
Et quand il se pose il est couleur de poussière.
— Mon mari m'a dit qu'il avait passé la nuit chez vous.

LECHY ELBERNON

Oui.

MARTHE

J'étais toute seule, et quel orage il a fait!
Et j'écoutais de l'autre côté de la porte
La mer laborieuse, effrénée, et tout le long de la côte au loin
Les vagues qui tonnent dans les fentes de la pierre; et le triple éclair qui emplit la maison, alors qu'on attend le coup, et l'intarissable ruissellement de la pluie.
Et toujours la force du vent qui passe,
Aplatissant la forêt comme un champ de maïs.
On ne sait ce que c'est; mais cela souffle, comme quand on souffle.

Elle souffle sur sa main.

LECHY ELBERNON,
regardant Laine du coin de l'œil.

Nous avons entendu.
Le grand saule qui était au-dessus de l'écurie a été déraciné.

MARTHE

C'est ainsi que la mer
Comme quelque chose qui a peur avertit les mauvaises consciences. Je me rappelle quand nous étions au milieu!
De la porte nous voyions comme un champ où il reste de la neige, et la mer en désordre sous la pluie, et l'étendue funéraire.
Qui sait pourquoi le vent souffle? pourquoi, quand les eaux se déchaînent et s'apaisent? — La lumière créée
Suspend son pas, au zénith, couvrant de splendeur l'étendue qui la réfléchit.
Et le flot s'est retiré au plus loin
Avant qu'il ne revienne ici même. Mais cette peine
Demeure et ne se retire point de mon cœur.
Toute la grève est parsemée de morceaux de bois et de branches où restent des feuilles.

LECHY ELBERNON

Il est midi et la journée est partagée en deux.
Le soleil dévore l'ombre de nos corps, marquant l'heure qui n'est point l'heure : midi.
Et voici que l'ombre tourne, changeant de côté.

LOUIS LAINE

Si cette brise ne tombe pas, nous pourrions faire une jolie promenade ce soir dans le bateau.

THOMAS POLLOCK NAGEOIRE

Nonsense! C'est aujourd'hui le Sabbath.

LECHY ELBERNON

Tommy!

THOMAS POLLOCK NAGEOIRE

Well!

LECHY ELBERNON

Il a trouvé son salut tout fait.
C'est pourquoi il a fait sa fortune, car il faut bien faire quelque chose.

LOUIS LAINE

Comme je passais à cheval traversant le Nord Missouri,
Sur le chemin au milieu d'un très immense marais,
Je rencontrai un misérable en haillons, tout couvert de boue rouge et qui avait la barbe comme de la vieille herbe d'hiver.
Et il me demandait à manger,
Parlant et se mettant les doigts dans la bouche, et je ne vis jamais gueule si large et si profonde!
Et il me dit qu'il y a un an, jour pour jour, comme il se trouvait là,
Un voyageur comme moi qui passait
Lui avait jeté une poignée de monnaie.
Et une partie était tombée sur le chemin et il l'avait ramassée; et l'autre partie
Était tombée dans le marais, et il cherchait depuis ce temps-là, et il n'avait pu tout retrouver encore.
Et il me demandait à manger, et il disait

Qu'il me donnerait sa « Grâce-de-Dieu » pour cela,
Mais je n'avais que quatre épis de maïs dans les fontes et trente milles encore jusqu'à *Horses heads.*
Sa « Grâce-de-Dieu »! Qu'est-ce que cela veut dire?

THOMAS POLLOCK NAGEOIRE

Et vous avez refusé?
Je ne mettrai jamais d'argent avec vous dans une affaire.
Que saviez-vous? C'était toujours bon à prendre.

LECHY ELBERNON

C'est ainsi que tous quatre nous échangeons des paroles,
Nous tenant debout ensemble et nos yeux s'en vont de l'un à l'autre
S'apportant quelque chose de chacun à l'autre.
L'œil pique et l'oreille écoute.
Moi, j'ai l'oreille fine comme une pie et les Gypsies
(Car j'ai vécu avec elles un temps) m'ont dit
Que si, perçant la pierre de la tombe, j'y appliquais l'oreille,
Je finirais par entendre les morts au fond, car ils parlent ensemble
D'argent. (*Rire*).
Et j'écoute, et j'entends, vous entendez?
Entre nos paroles trois bruits :
La mer,
Et les feuilles (*geste des doigts*), un petit frémisse-

ment dans les feuilles comme (*presque à voix basse*) le souffle de quelqu'un qui dort

Et le cri

Des locustes dans l'herbe haute :

Creee!

(*Elle parle alternativement dans la figure des trois autres personnages.*)

Mais moi, je puis pénétrer jusqu'à l'âme, car la parole

Répond dans la pensée des autres, comme quand je joue je sais ce que l'autre répondra, il ne peut pas faire autrement.

Car les voix, c'est comme les couleurs,

Et comme entre les voix, il y a *réponse*

Entre les âmes qu'elles se haïssent ou s'aiment.

Et nous, c'est ainsi que nous sommes réunis tous les quatre

Comme des ouvriers qu'on a loués pour travailler à une même pièce.

(*Gestes agiles de tisseuse.*)

Rangeons-nous en rond

(*Elle va chercher les autres personnages et se met en rond avec eux.*)

Comme font les enfants quand ils comptent pour savoir qui sera pris.

(*Elle compte.*)

Akkeri ekkeri ukeri an
Fillassi fullassi — Nicolas John
Quebee Quabee — Irishman
Stingle'em — stangle'...em

Elle lève la main comme pour frapper Louis Laine, puis se ravisant, avec un éclat de rire, elle tape dans le haut-de-forme de Thomas Pollock Nageoire qui roule par terre. (Il restera là jusqu'à la fin de la pièce.)

... buck!

THOMAS POLLOCK NAGEOIRE

Well!

(*Le gong au loin.*)

Vous entendez le gong là-bas?

Ils sortent tous trois. Lechy Elbernon au bras de Louis Laine.

Marthe reste seule.

Encore le gong. On entend le rire de Lechy Elbernon dans le lointain.

ACTE II

Même scène. L'après-midi du même jour.

Entre Louis Laine. Marthe est assise devant la cabane : elle fait tomber quelques miettes de pain qui sont restées sur sa robe.

LOUIS LAINE

Eh bien, on a dîné?

MARTHE

Je n'avais pas faim.

LOUIS LAINE

Un morceau de pain tout sec, n'est-ce pas?
« Je n'avais pas faim... »
C'est pour me faire honte d'avoir été chez eux?
Et tu te fais ton pain toi-même! car tu ne peux pas manger le même que les autres.

MARTHE

Je ne puis manger le pain qu'on fait ici, il n'est pas cuit.

LOUIS LAINE

Et pourquoi es-tu toujours à travailler? Ce n'est pas moi qui te le demande.

MARTHE

Mais il n'y a personne pour nous servir.

LOUIS LAINE

Et pourquoi es-tu toujours mal habillée! J'étais honteux tout à l'heure
Devant eux. Regarde la robe que tu as!

MARTHE

Elle est assez bonne pour moi.

LOUIS LAINE

Pourquoi n'es-tu pas venue dîner avec nous?

MARTHE

Je ne veux pas manger avec eux.

LOUIS LAINE

Pourquoi? qu'est-ce que tu as contre eux? Voyons, parle!
Ils ne nous ont jamais fait que du bien. Ils t'invitent gentiment, et tu refuses avec grossièreté. Tu es restée de ton pays.

MARTHE

Je ne mangerai point avec eux.

LOUIS LAINE

Pourquoi, mauvaise? Voyons! dis ce que tu as à dire!

Ils te valent bien.

Qu'est-ce que c'est que ces manières que tu fais? Vous aimez mieux manger votre pain toute seule, pas vrai?

Mais c'est pour me contrarier, parce que tu crois que j'aime à aller chez eux.

Mais tu es jalouse de tout ce qui m'amuse.

Et cela ne m'amuse pas, mais je le fais cependant, vois,

Parce que c'est mon intérêt. Mais toi,

Tu n'es qu'une égoïste, voilà tout.

MARTHE

Laine, pourquoi me parles-tu ainsi? Pourquoi veux-tu que je voie cette femme?

LOUIS LAINE

Cette femme! tu pourrais être polie.

Elle te vaut bien! O je sais ce que tu veux dire! mais il ne faut pas parler sans savoir.

Ce n'est pas ce que tu crois, elle m'a tout expliqué.

Mais tu te penses plus raisonnable que tout le monde.

Ce n'est pas tout que d'être terre à terre. Il y a l'intelligence!

Elle m'écoute quand je parle, et l'on peut causer avec elle, et elle ne trouve pas que je suis un moron.

MARTHE

O! Je n'ai jamais dit que tu étais un fou, Louis! (*Elle pleure.*)

Ce n'est pas ma faute si je ne suis pas plus intelligente.

LOUIS LAINE

Allons, ne pleure pas! Voyons! Ne pleure pas, voyons!

C'est vrai, j'ai été brutal. Pardonne-moi.

MARTHE

Tu n'es plus le même que tu étais.

LOUIS LAINE

Douce-Amère, tu es simple et débonnaire.

Tu es constante et unie, et on ne t'étonnera point avec des paroles exagérées. Telle tu fus et telle tu es encore.

Ce que tu as à dire, tu le dis. Tu es comme une lampe allumée, et où tu es, il fait clair.

C'est pourquoi il arrive que j'ai peur et je voudrais me cacher de toi.

MARTHE

Peur? de moi? Est-ce que je puis te faire du mal? Et que craindras-tu de me découvrir?

LOUIS LAINE

Oui.

Tu sembles bien sage, et cependant il faut qu'il y ait un vice en toi.

Car
Comment se serait-il fait que tu m'eusses aimé, moi qui n'étais qu'un enfant,
Et quelqu'un qui vient d'on ne sait où? Car tu ne savais pas qui j'étais.
Mais je n'ai eu qu'à te prendre la main et tu es venue avec moi.
Quelle honte cela a dû faire!
Car quelqu'un qui t'aurait vue eût pensé
Que tu eusses épousé qui tes parents t'auraient dit et que tu eusses été contente d'être sa femme.
Oui, j'étais un étranger, et si un autre fût venu... Sans doute que tu t'ennuyais chez toi.

MARTHE

Laine, tu ne parles pas ainsi de toi-même! Pourquoi m'humilies-tu ainsi?
Est-ce que j'ai fait mal de t'aimer? et ne t'ai-je pas épousé légitimement?

LOUIS LAINE

Je n'étais qu'un enfant. Mais toi, tu aurais dû savoir et ne pas écouter ainsi ce que je te disais.

MARTHE

Il est trop tard! Rappelle-toi ce que je t'ai répondu : « Me voici et je t'appartiens!
« Prends garde à moi! Car tu me garderas toujours avec toi, que je te paraisse douce ou déplaisante! Et je serai suspendue à toi, lourde. »
Et tu me disais que tu m'aimais.

LOUIS LAINE

Certes, je t'aimais! et je t'aime bien encore.

Va, Marthe, je ne te ferai point de reproche.

Mais c'est moi qui ai agi étourdiment! Jamais je n'aurais dû t'épouser.

L'homme a des devoirs. J'ai pris des devoirs envers toi. Oui, je ne les méconnais pas.

Mais je ne puis pas les remplir.

Je ne puis pas te faire vivre. Cela va bien encore maintenant, mais comment est-ce que nous ferons quand nous aurons des enfants, y as-tu songé?

Il faut songer à l'avenir aussi.

Laisse-moi aller! Laisse-moi aller et ne me retiens pas, comme quelqu'un qu'on tient par la main, lui éclairant la figure avec une lumière!

J'irai là où il n'y a personne avec moi.

Est-ce que je puis te faire vivre? Regarde, qu'est-ce que je sais faire? J'ai demandé à Thomas Pollock Nageoire

Si j'étais capable de faire quelque chose, et il m'a dit que non.

Silence.

MARTHE

C'est ce qu'il me disait aussi tout à l'heure.

LOUIS LAINE

Vraiment? est-ce qu'il t'a parlé de cela déjà?

MARTHE

Déjà?

LOUIS LAINE

Dis. Qu'est-ce que tu penses de lui?

MARTHE

Je pense qu'il est fort riche.

LOUIS LAINE

Riche ? Sûr qu'il est riche !

MARTHE

Oui.

LOUIS LAINE

Une poussée terrible ! C'est comme les *tugs :* il y en a qui poussent et il y en a qui tirent.

MARTHE

Oui.

LOUIS LAINE

On parle de lui partout ! Quel nerf ! quel coup d'œil ! Si riche, si simple ! J'ai été surpris de voir qu'il pouvait aimer quelqu'un.

Et un vrai roi, je te dis !

MARTHE

Oui.

LOUIS LAINE

Il a donné cent mille dollars à l'hôpital des Éthiques. — Je ne me rappelle plus, je crois que c'est une société de culture.

Un roi !

Il prend d'une main et il donne de l'autre. Et celle qu'il épouserait...

MARTHE

Comment? est-ce qu'il n'est pas marié déjà?

LOUIS LAINE

Marié! marié!
Tu ne vois pas les choses comme il faut.
Le mariage est un contrat et il se dissout par le consentement des parties.
Tu comprends? Par le consentement des parties.
Un contrat, ça se dissout par le consentement des parties. Je suis sûr d'avoir lu ça quelque part.
— Pour Lechy, elle ne tient pas à rester sa femme.
Tu sais, c'est une artiste, elle ne tient pas à l'argent. Et il ne l'a jamais aimée.
Il l'a, eh bien, comme on a un cheval.

MARTHE

Oui.

LOUIS LAINE

Ce n'est pas la même chose! C'est un homme réfléchi et qui ne laissera point capricieusement ce qu'il a aimé une fois pour de bon.
Avoir
Une femme simple et douce, voilà! — Je voudrais que tu fusses heureuse, Marthe!
Je voudrais avoir réparé ce tort que je t'ai fait.
— Écoute. Peut-être que tu sais déjà ce que je vais te dire?

MARTHE

Peut-être que je le sais?

LOUIS LAINE

Écoute, et ne prends point à mal ce que je vais te dire, et songe que cela m'est bien dur.

Mais réfléchis, et peut-être que tu as déjà réfléchi.

— Je ne sais ce qu'il t'a dit ce matin.

Regarde-moi bien et vois si tu as à attendre de moi

Autre chose que tourment et peine.

Laisse-moi aller et ne t'attache point à moi.

Car un esprit terrestre est en moi et la raison n'y peut rien.

Et tu ne feras pas de moi ce que tu voudras.

— Je ne sais ce qu'il t'a dit ce matin.

Mais

Si c'est qu'il aurait voulu de toi pour être sa femme...

MARTHE

... Si c'est de moi qu'il aurait voulu pour être sa femme...

LOUIS LAINE, *lent.*

Juste la femme peut-être bien (*très rapide*) qui était faite pour lui...

MARTHE

Et juste la femme peut-être bien qui était faite juste pas pour toi ?

LOUIS LAINE

Pas peut-être bien, sûr !

Sûr! Juste la femme, toi, qui étais faite juste pas pour moi!

Croirais-tu? J'ai compris cela tout de suite du premier coup en te voyant.

MARTHE

Et c'est pour cela que tu m'as demandée et prise?

LOUIS LAINE

Sûr! Pas peut-être bien, sûr!

MARTHE

Regarde! Lève-toi! Retourne-toi! Il y a quelqu'un derrière toi qui te fait signe.

Il se lève et regarde.

LOUIS LAINE

Je ne vois personne.

MARTHE

Retourne-toi encore.

LOUIS LAINE

Il n'y a personne.

MARTHE

le prenant entre ses bras par derrière et se collant à lui.

Tu es sûr qu'il n'y a personne?

LOUIS LAINE

Il y a quelqu'un derrière moi qui se figure qu'il est plus fort que moi.

MARTHE

Ce n'est pas vrai que je suis plus forte que toi?

LOUIS LAINE

C'est tellement vrai que la journée...

MARTHE

Continue... la journée?

LOUIS LAINE

Ne se passera pas...

MARTHE

... Ne se passera pas...?

LOUIS LAINE

... Avant que parti je sois parti. Plus de Laine. Louis Laine? Plus de Louis Laine!

MARTHE

Tu as juré cela cette nuit à quelqu'un?

LOUIS LAINE

C'est vrai, j'ai juré cela cette nuit à quelqu'un. Il faut tenir sa parole, non?

MARTHE

Et c'est défendu que de te dire adieu?

LOUIS LAINE

Ce n'est pas une manière de dire adieu aux gens que de vous fourrer son corps avec le sien!

MARTHE

Et mon âme, est-ce que je ne te l'ai pas fourrée aussi? Grince des dents! Oui, oui, je t'entends qui grince des dents!

LOUIS LAINE

Et moi, je t'ai donné la mienne. Pas donné.

MARTHE

Prise?

LOUIS LAINE

Prise.

MARTHE

Qui te l'a prise?

LOUIS LAINE

Mon ennemie.

MARTHE

Ce n'est pas ton ennemie qui te tient en ce moment entre ses bras.

LOUIS LAINE

On ne prend pas une âme! et je l'entendais en moi qui se laisse prendre avec des cris terribles!

MARTHE

Je te la rends.

Elle le lâche.

LOUIS LAINE

Merci.

Il va s'asseoir sur la balançoire.

MARTHE

Je me demande pourquoi que tu as monté cette balançoire?

LOUIS LAINE

J'aime ne tenir à rien. J'aime me sentir propriétaire de mon propre poids.

MARTHE, *s'asseyant près de lui.*

Mais si je m'assieds près de toi, cela ne fait plus qu'un seul poids. On est deux, et deux ensemble, cela ne fait qu'un seul poids.

LOUIS LAINE

Tu connais le mien, je suppose?

MARTHE

Écoute, Louis, il ne faut pas me lâcher.

Pause.

LOUIS LAINE

La nuit ça va.

MARTHE

Qu'est-ce que tu veux dire : « la nuit ça va ».

LOUIS LAINE

Ça va. Je ne vois plus tes yeux. Tu ne me regardes pas. Je n'ai plus peur. Ça va.

MARTHE

C'est de mes yeux que tu as peur?

LOUIS LAINE

Ça va! Et alors tout ce que je te raconte! On n'a pas idée! C'est étonnant tout ce que je trouve à te raconter quand tu ne me regardes pas!

MARTHE

Crois-tu que je ne t'écoute pas?

LOUIS LAINE

Non, tu ne m'écoutes pas! Je ne te dirais rien si tu m'écoutais. Tout ce que je te dis, tu ne l'écoutes pas. Comment dire? Tu ne l'écoutes pas, tu le dors.

Tu le dors!

Entre mes bras.

MARTHE

Et c'est heureux, ce que tu me racontes? Une belle histoire pleine d'amour que tu me racontes?

LOUIS LAINE

Non, ce n'est pas heureux. *Une belle histoire pleine d'amour?* Non. C'est triste — pas triste — aucun sens, quelque chose à faire pleurer à chaudes larmes.

Je vais mourir, tu sais?

MARTHE

Vous l'entendez, il dit qu'il va mourir, cette espèce de Louis Laine! et alors dis-moi un peu, espèce de Louis Laine, puisque c'est comme ça que tu t'appelles, à quoi est-ce que je sers! A quoi est-ce qu'elle sert, cette Marthe?

LOUIS LAINE

Tu n'as pas pu tout de même m'empêcher de revenir à ce pays qui est le mien et qui te faisait tellement peur.

MARTHE

Et toi, tu n'as pas pu m'empêcher de revenir avec toi, je tiens bon! Ah! tu en as fait un joli coup, mon petit lapin, de venir me prendre! Je tiens bon! Ah! je l'ai compris tout de suite, espèce de Peau-Rouge, de quoi il s'agissait! Je suis celle qui empêche de se sauver! Ce n'est pas moi à qui l'on fait des tours! Je suis celle qui est là pour t'empêcher de mourir, comme tu dis! De mourir, a-t-on idée! et tu as raison plus que tu ne crois!

LOUIS LAINE

L'araignée. L'araignée, tu te rappelles qui m'avait mis son fil autour du poignet pour m'apprendre mes prières! Je n'aime pas beaucoup être le mari d'une araignée. Le mariage de la mouche et de l'araignée. Le mâle de Madame!

MARTHE

Ce n'est pas ce que tu aimes qui est important. Et ce n'est pas seulement au poignet que je t'ai mis un fil. Un fil qui part du cœur.

LOUIS LAINE

Il s'agit d'être la plus forte.

MARTHE

Précisément il s'agit de ça. Oui. Il s'agit d'être la plus forte.

LOUIS LAINE

Ça va, tu es la plus forte.

MARTHE

Mais moi, à ta place, cela m'embêterait d'être le plus faible.

LOUIS LAINE

De l'eau, c'est si faible que ça?

MARTHE

Qu'est-ce que tu veux dire avec ton eau?

LOUIS LAINE

Elle fuit.

MARTHE

Mais il y a la terre toujours qui arrive à la rattraper afin d'en faire de la boue!

Fuir! où çà, fuir! s'en aller! se cacher! Espèce de sauvage! Tu as eu beau faire, comme si je n'avais pas réussi à te trouver, une fois pour toutes! Comme si tu pouvais t'en débarrasser, de ce goût que je t'ai communiqué! Le goût de la vérité.

LOUIS LAINE

Tu es sûre que c'est le pays de la vérité, ici?

MARTHE

Moi, je suis la vérité. Regarde-moi!
Réveille-toi! Sois un homme!
Je suis bien une femme, pourquoi est-ce que tu ne réussirais pas à être un homme?
Est-ce que ça n'a pas aussi un tout petit peu de goût, la vérité?
Se sauver! On a beau se sauver! Vagabond, poltron! est-ce que ce n'est pas une belle invention tout de même que d'aboutir? D'aboutir quelque part.
Le goût de la nécessité. Est-ce que je n'ai pas réussi tout de même un petit peu à te l'apprendre, ce que c'est, le goût de la nécessité?

LOUIS LAINE

Je suis le gibier des dieux.

MARTHE

Quelle espèce de gibier? Un lapin? C'est amusant, d'être un lapin?

LOUIS LAINE

Je suis un aigle cassé qui essaye de se dérober aux pourvoyeurs de la Zoo.

MARTHE

Ni un aigle ni un lapin! Une anguille.
Tu sais, les anguilles? paraît qu'elles vont en

Amérique pour s'apparier. Faut ça. Toi, c'était le contraire, on dirait!

LOUIS LAINE

C'est fini, il n'y a plus qu'à nous séparer.

MARTHE

Il faut être deux pour se séparer.

LOUIS LAINE

Et alors c'est qu'on aurait réussi à me prendre, je suis pris?

MARTHE

On t'a pris, espèce d'anguille! espèce d'aigle cassé! On t'a trouvé un endroit! Pas moyen de s'envoler, espèce de vautour!

LOUIS LAINE

Quel endroit?

MARTHE

Mets-moi la main sur le ventre...

(*Il lui met la main.*)

Qu'est-ce que tu sens?

LOUIS LAINE

Un cœur qui bat.

MARTHE

C'est toi qui bats.

Entre Lechy Elbernon.

LECHY ELBERNON

Bien sûr ! je m'en doutais ! C'est pour ça que l'on était si pressé de nous quitter !

LOUIS LAINE

Pardon ! je vous demande pardon !

LECHY ELBERNON, *d'un seul trait.*

Vous voyez, Marthe ! il ne peut se passer de vous un seul instant, Marthe ! Mais c'est mal de l'accaparer, Marthe ! Il prétend qu'il était un peu inquiet de vous, Marthe ! C'est vrai que vous n'avez pas bonne mine, Marthe !

Ça n'a pas été drôle, notre dîner, vous savez ! Le gentilhomme, je n'ai jamais vu quelqu'un qui ait l'air si embêté. Vous avez dû lui faire une scène, on en a bénéficié. Et quant à l'*incorporated,* pour ce qui est de ne rien dire à personne à table, on peut compter sur lui, c'est le champion !

(*Petit rire.*)

Querelle d'amoureux ? On a pleuré un peu ? un petit peu ? un tout petit peu ?

MARTHE

Rien ne lui échappe.

LECHY ELBERNON *l'examine longuement des pieds à la tête*

Somme toute...
Oui, somme toute,
Un peu de rouge et l'on ne verrait rien.
Chacun a ses jours,

Mais il y a combien de temps que vous êtes mariés?

MARTHE

On a dû vous le dire.

LECHY ELBERNON

Six mois? Six mois. Six mois, ce n'est pas beaucoup. C'est assez.

(*Rire.*)

J'ai envie de vous dire quelque chose et je ne puis m'en empêcher.

Voyez comme il me regarde! il a peur, mon enfant chéri!

Faut-il le dire, mon bébé chéri?

LOUIS LAINE

Dites-le. Dites-le! Faites ce que vous voudrez.

LECHY ELBERNON

Akkeri ekkeri ukeri an!

Apprenez qu'il a couché cette nuit avec moi.

MARTHE

Est-ce vrai?

LOUIS LAINE

Akkeri ekkeri ukeri an.

MARTHE

Est-ce vrai?

LECHY ELBERNON,
mettant sa main
sur la bouche de Louis Laine.

Ne réponds pas, Louis! Il fallait que ça sorte! Tout de même! Quand même, il y a l'honneur!

Il fallait que tout soit clair entre vous, il y a l'honneur!

Le moment est venu de se séparer. Tout ce qu'elle attendait de toi, elle l'a eu.

Regarde-la, je te parie mes yeux qu'elle a un sou de beurre dans le frigidaire!

Alors?

Alors vous êtes quittes, bonsoir, allons-nous-en, j'ai bien l'honneur, je vais me promener!

Laisse-la pleurer! c'est fait pour pleurer, les femmes!

Je suis sûre que tu n'as rien eu de plus pressé ce matin que de lui jurer un tas de bonnes choses, espèce de matou! Il n'y a rien qui lui refasse une innocence, à un homme, comme de tromper sa femme!

Bonjour, Douce-Amère! Tu vois, je connais ton nom.

Il me raconte tout, et ce drôle de sacré bout de petit pays que tu es, c'est à se tordre!

N'aie point honte, garçon! dis-lui la vérité! dis-lui que tu m'aimes puisque c'est vrai, il faut qu'elle le sache!

Pour voir la figure qu'elle fera (*déclamant :*), car tel est le cruel amour.

(*Parlé :*) Il paraît comme ça gentil gentil

(*Déclamant :*) « Mais il est barbare et impudent et il n'y a pas le choix que de lui obéir. »

(*Parlé :*) J'avais beaucoup de succès quand je sortais ça aux gens de Sioux Falls!

(*A Marthe :*) Voyons, il faut être raisonnable, *honey!*

Puisque c'est moi que l'on aime maintenant, tant pis! rien à faire! que veux-tu!

MARTHE

Je suis raisonnable.

LECHY ELBERNON, *frappant du pied.*

Pleure, pleure, pleure, ne te retiens pas!
Pleure de l'eau chaude!
Je ne la trouve pas aussi moche que tu me disais, Louis. Un peu décolorée, bien sûr! Mais de la classe,
Cette figure un peu ronde comme l'ont les femmes de Syrie.

MARTHE

Elle est là et je suis là. Regarde-la et regarde-moi.
Et réjouis-toi de l'échange que tu as fait.

LECHY ELBERNON

« Demeure de paix »...

LOUIS LAINE

Tais-toi!

LECHY ELBERNON

Demeure de paix.

Ça lui arrive de rêver tout haut, et le sais-tu alors comment il t'appelle?

« Demeure de paix ».

C'est pas moi qu'on aurait l'idée d'appeler *demeure de paix*.

LOUIS LAINE

Eh bien c'est vrai! J'en ai assez de la *demeure de paix!*

C'est elle et pas une autre qu'il me fallait pour m'en guérir de la *demeure de paix!* pour m'en nettoyer de la *demeure de paix!*

Quelqu'un de dangereux et qui a des griffes et qui vous rit dans la figure et qui mord!

Il fallait que je lui règle son compte, à c'te chat enragé ou qu'elle me règle le mien.

Un temps.

MARTHE

Marthe Marie! Je l'ai connu il y a pas si longtemps, quelqu'un qui m'appelait Marthe Marie.

LOUIS LAINE

Marthe Marie... Tu seras toujours Marthe Marie pour moi.

LECHY ELBERNON

Elle n'a plus besoin de toi. C'est fait. Tout ce qu'elle avait besoin de toi, elle s'est arrangée pour te le prendre.

LOUIS LAINE

O Marthe, mon amie! Ça fait drôle de se séparer...

MARTHE

Qui te force à te séparer?

LOUIS LAINE

Cela fait drôle de se séparer quand on n'est qu'un seul...

LECHY ELBERNON

Elle n'a plus besoin de toi.

MARTHE

C'est vrai que tu n'as plus besoin de moi?

LOUIS LAINE

Tu m'as pris mon âme... Garde-la.

MARTHE

Lève la tête. Regarde-moi.

(*Un temps.*)

Tu as volé quand tu étais encore un enfant.
Car déjà tu jouais au jeu et il te fallait de l'argent
Et tu errais de lieu en lieu, comme tous les gens maudits, et si tu avais trouvé
Une place, tu n'y restais pas longtemps, car il y avait une force qui t'arrachait, un esprit sauvage.
Et tu es venu chez nous, et tu m'as emportée, moi qui jamais n'étais allée plus loin

Que la Croix des Cinq Routes où il y a un Calvaire
Et on a traversé ensemble
Quelque chose... comme un rêve
Et nous sommes arrivés
De l'autre côté ici. Il y avait cette femme qui t'attendait, et cet autre homme je suppose, moi.
C'est vrai que tu n'as plus besoin de moi?

LECHY ELBERNON

Ce qui est vrai, c'est qu'il a besoin de pas toi.

MARTHE

Accuse-moi, qu'est-ce que j'ai fait?
Car si c'était une servante, on lui dit qu'est-ce qu'elle a fait.

LOUIS LAINE

Explique-lui.

LECHY ELBERNON

L'honneur, la raison.

MARTHE

L'honneur? la raison?

LECHY ELBERNON

L'honneur, la raison,
Tu ne veux pas qu'il vive de toi?
Et toi, pour ce qui est de vivre de lui...

MARTHE

Si tu avais foi en moi...

Ah! j'ai assez de force pour toi et pour moi, rien ne me fait peur! Je n'ai pas peur!

Accuse la peur que je te fais!

Même les animaux, ils n'avaient pas peur de moi. « Belle! belle! »

Je t'ai pris, je t'ai attaché mes mains derrière le dos, il le fallait, est-ce un autre qui pouvait t'empêcher de mourir?

Tu le sais bien!

Prends garde, ne dénoue pas ces deux mains que j'ai attachées l'une à l'autre derrière toi, la main droite et la main gauche.

Ce qu'elles se sont juré l'une à l'autre derrière toi, souviens-toi de ce qu'elles se sont juré l'une à l'autre derrière toi, mes mains!

Ce que tu me forces à dire, mes pauvres mains! C'est Dieu qui nous a unis.

Et le voilà, ce magistrat que tu as choisi pour nous séparer.

Ça que tu m'as préféré! C'est ça à ma place n'est-ce pas qui te va t'empêcher de mourir!

LECHY ELBERNON

Tu entends ce qu'elle dit, garçon? Soyons raisonnables un peu. Elle dit qu'elle a bien assez de force pour toi et pour elle, bon, mais alors elle en aura encore bien plus pour elle toute seule.

C'est pas de jeu parce qu'un type couche avec vous de vouloir le garder pour toujours et tout à fait.

Et tu remarques les yeux qu'elle a? J'aimerais pas coucher avec des yeux comme ça qui vous regardent jour et nuit.

Une femme aime pas qu'on la regarde toute nue : un homme pas non plus.

Une femme qui est un petit pays, un sacré bout de tout petit pays avec un piquet planté au milieu pour le monsieur, tu comprends? deux mètres cinquante de liberté tout autour pour le monsieur.

Un sacré bout de petit pays!

Et l'Univers alors? Et ça, l'Amérique alors? pour qui est-ce que ç'a été fait l'Amérique?

Heureusement que j'étais là! L'Amérique, est-ce pour rien que tu es venu t'en informer de l'Amérique jusque dans le lit de ton hôte et dans les bras de celui qui te donne ton argent!

Quelque chose d'énorme! Il y en a jusqu'à l'Océan Pacifique!

(Elle passe derrière lui. Louis Laine voit ce qu'elle décrit.)

Tu te souviens? Je t'ai raconté.

J'ai vécu toute une vie autrefois, toute une saison, dans le nord, dans la forêt,

Avec toi,

Avec un type comme toi,

On pêchait, on chassait, on était seuls tous les deux...

Tu te rappelles ce vent du nord, cette espèce de vent païen qui vous soufflait sous la porte, le vent des dieux! Attends que je me rappelle...

(Elle déclame.)

... rampant jusqu'au bout de la branche qui plie...

Qu'est-ce qui vient après? Ah!

(Elle déclame.)

La tête en bas tu voyais sous toi les cimes d'arbres émerger du brouillard au fond de l'abîme et la chouette jaunâtre voler dans la lumière de la lune.

Songe aux courants d'eau clairs-obscurs où l'on voit les énormes poissons gris!

Le saumon et le muskallongee!

Le saumon et le muskallongee!

(*Éclat de rire.*
Elle passe vivement devant lui et se retourne.)

Aime-moi, car je suis la liberté!

— Et attention, mon petit ami, de ne pas te volatiliser avant que je l'aie permis?

LOUIS LAINE

Qu'as-tu à dire, Marthe Marie?

MARTHE

Je n'ai rien à dire, j'écoute.

LOUIS LAINE

Tu écoutes, qu'entends-tu?

MARTHE

Ton cœur battre au-dessous du mien.

LECHY ELBERNON

Un enterrement de première classe!

LOUIS LAINE

Me laisseras-tu partir ainsi sans un mot?

MARTHE

Je suis pauvre — je suis sotte — je suis laide — je suis jalouse.

LECHY ELBERNON

Akkeri ekkeri ukeri an

(*Levant la main avec une espèce de solennité.*)
Buck!

Elle la lui laisse tomber sur l'épaule.

MARTHE

L'échange est échangé.

LECHY ELBERNON, *à Louis Laine.*

Dis-lui que tu m'aimes...

Il se tourne vers Marthe et ouvre la bouche. Mais à ce moment elle arrache son foulard et lui en couvre la figure, et la baise à travers la soie.

Elle sort.

Lechy Elbernon arrache violemment son bonnet et se dresse terrible, face au public, l'image même du génie tragique.

Un temps.

LECHY ELBERNON,
déclamant à mi-voix.

« *O ours! ô pivert! ô loup!*
« *Voici que je ne puis monter plus haut! O cousin Raccoon! ô écureuil cramponné à l'écorce rugueuse!*
« *Vois-moi, mon grand-père l'Élan, parce que je vais mourir ici!* »

LOUIS LAINE

O ! c'est « l'Enfant-aux-sourcils-de-pierre » !

LECHY ELBERNON, *continuant.*

« *Tout le jour à grand travail je suis montée, pleine de terreur,*

« *Franchissant les troncs pourris, grimpant dans les pierres croulantes !*

« *Et maintenant je ne puis plus avancer !* »

LOUIS LAINE, *imitant une voix qui vient de fort loin en bas.*

« *Wow !* »

LECHY ELBERNON

« *Haha ! Waha ! Ahi !*

« *Ils sont après moi, j'entends la voix de mon frère !*

« *Aie pitié de moi, mont !*

« *Aie pitié de la misérable ! aie pitié de l'enfant que je porte dans mon ventre. Tout le jour tu as senti les pieds nus de la femme grimper.*

« *O mont, cache-moi, qu'on ne me retrouve plus !*

« *O Seigneur, dès que vient l'Été doux et chaud*

« *Les femmes travaillent dans les champs, cultivant le sorghum et les fèves. Et chaque fois que je levais la tête,*

« *Tant que durait le jour bleu, je te voyais à ta place,*

« *Assis comme un sagamore, considérant la contrée et la sérénité de la saison.*

« *Et je t'ai aimé. Et un jour tu es venu à moi et tu m'as connue, et voici que je porte un enfant sous ma robe.*

« *Aie pitié de moi, montagne!*

« *Je ne puis plus monter, et voici que je me couche sur toi dans l'épaisseur des feuilles!*

« *Haha! Waha! Ahi! Wahaha!*

« *Voici les douleurs de la mort!*

« *Donne-moi des forces pour que je le mette au monde avant que je ne meure! aie pitié de lui si c'est un garçon et qu'on ne lui fasse pas de mal!* »

(Elle le regarde fixement.)

— Mais vois-tu, ne m'abandonne pas à mon tour.

LOUIS LAINE

Comment, t'abandonner?

LECHY ELBERNON

Il y a ce vieux nègre fou chez moi, je ne sais pas ce que tu lui as fait, prends garde, il est jaloux de toi, il t'a à l'œil comme on dit...

Aime-moi, Louis!

LOUIS LAINE

Je t'aime.

LECHY ELBERNON

Aime-moi!

Je suis tellement triste!

Tu es jeune et moi, je suis vieille comme le monde!

Baise-moi parce que je suis la liberté et te voici sorti de la maison,

Mais prends garde de ne point ruser,

Parce que je suis la plus maligne, et n'essaye point de m'échapper.

(*Elle lui prend le cou avec les deux mains en riant.*)

De peur que comme les folles fourmis mâles...

LOUIS LAINE

Va!

Je sais que je mourrai bientôt.

« La journée qu'on voit clair et qui dure jusqu'à ce qu'elle soit finie. » (*Répétition du geste.*)

Laisse-moi regarder le jour qui s'achève, salut, belle lumière!

Je n'aurai point de part aux occupations des hommes.

Salut, air!

Salut, dans l'heure de ton abaissement, soleil, mystère de joie!

La journée finit et la mer de toutes parts

Monte, et elle sera pleine à cette heure où se lève un petit vent,

C'est bon aussi, la nuit.

C'est bon aussi, cette nuit que tu m'as appris à dormir ensemble! C'est bon cette nuit que tu es venue m'apporter, Sanctuaire!

Respire, respire-la bien, cette journée qui est la mienne, cette journée unique, cette journée de l'insecte d'un jour,

(*Il lui soulève les bras avec les siens et lui fait respirer toute cette étendue, la mer, le ciel où les étoiles commencent à paraître.*)

Afin que cette nuit je la retrouve sur tes lèvres!

ACTE III

La nuit. Une lampe tempête suspendue dans l'espace par un moyen quelconque.

Au-dessous Marthe lit tout haut une lettre.

MARTHE

Mes chers parents,

Je me dépêche de vous écrire, vous savez, la poste ne passe pas tous les jours dans ce désert. Pardonnez-moi de vous avoir laissés si longtemps sans nouvelles. Tout va bien. Ne vous inquiétez pas. De bons amis nous ont accueillis. L'endroit où nous sommes est un « sanctuaire », ce qu'on appelle ici un « sanctuaire », je vous expliquerai. Croiriez-vous que Louis est devenu un homme pratique ? Il a eu une idée qui lui rapportera de l'argent. Ici on achète les idées, quand elles sont bonnes, naturellement. La dame du *bungalow* est une grande actrice qui s'intéresse à nous deux. Ne nous oubliez pas. Priez pour nous. Je vous embrasse. Marthe.

(*Elle ferme la lettre, écoute un moment et puis tire de son sac une autre lettre.*

Elle lit.)

Monsieur le Curé,

Il n'y a pas de prêtre ici. Alors je ne peux pas me confesser. Rien qu'un certain... théologien dans les roseaux qui rend des sentences. Comme ce que vous m'avez dit des congrégations romaines à Rome. Un monosyllabe caverneux de temps en temps et alors les grenouilles n'en finissent pas de commentaires.

Je me confesse tout de même. Cette lettre elle-même est une confession. Écoutez bien. Je la lis tout haut pour que vous l'entendiez distinctement.

Le ciel étoilé comme un reposoir avec toutes les bougies allumées, non, ce n'est pas un confessionnal? Qu'est-ce qu'on peut appeler un confessionnal, alors? Vous vous rappelez ce livre autrefois qui m'avait frappée et que je vous avais fait lire? Vous le trouviez ridicule. Cette personne désespérée qui se promène au bord de l'Océan en criant : *Justice! Justice! — Justice! Justice!...* Elle aurait mieux fait de crier : *Pardon! pardon!...* et en se tordant les bras encore! Il faudra que je demande à la dame du *bungalow* comment on fait pour se tordre les bras. L'autre jour elle s'était costumée en papillon. Un papillon de nuit.

Il n'y a pas de croix ici dans le ciel. Ça manque. Mais il y a saint Jacques. Il marchait devant nous sur l'Océan. Tout le chemin depuis Ouessant jusqu'à Terre-Neuve. Et toutes les nuits à présent il me revient régulièrement comme un facteur pour prendre les commissions. Le temps de faire le tour du monde et il les délivre au destinataire. Regardez-le demain soir, mélangé à ce grand acacia excessif au-dessus de votre presbytère. Il y a quelque chose pour vous. Recommandé.

Pardonnez-moi, mon père, parce que j'ai péché.

Je n'ai pas péché, mais ça ne fait rien, donnez-moi l'absolution tout de même. Une absolution n'est jamais perdue. Elle met plus ou moins de temps à parvenir. A parvenir au type qui l'a demandée — ou pas demandée. Quelqu'un l'aura demandée pour lui à sa place.

Et puis c'est si sûr que ça, croyez-vous, que je n'aie pas péché? Alors donnez-moi une absolution pour deux et même pour trois. Une absolution en blanc. N'ayez pas peur, on saura quoi en faire, de votre absolution!

Bien sûr que je n'espérais pas l'apprivoiser, ce sauvage. Une bête sauvage, est-ce qu'on a jamais réussi à l'apprivoiser? Elle fait semblant, et puis elle s'est sauvée. Que pouvais-je faire? Il y avait si longtemps que je l'entendais marcher derrière moi...

Pour se donner à un homme, les curés ne savent pas ça, y a pas toujours moyen de calculer. Il faut. On ferme les yeux.

Il y a si longtemps que je l'entendais marcher derrière moi! Et puis un beau jour, c'est vrai, il était derrière moi! Il était là qui me demandait une tartine, il avait faim! Une tartine précisément que j'étais en train de faire pour les enfants. Je la lui ai donnée, sa tartine.

Ah! comme il a mordu dedans! Si vous le saviez, comme il a mordu dedans!

Bien sûr, je ne m'attendais pas à autre chose, il part, il est parti. A ce moment même où je vous lis cette lettre, je l'entends qui s'en va. O mon père, c'était un innocent avant qu'il ne m'ait connue! C'est moi qui lui ai appris le péché. Il le fallait.

Figurez-vous que la première chose qu'il ait faite ici est de monter une balance! Une balance pour se peser, chacun séparément et tous les deux. Croiriez-vous? Comme une pendule. Comme le battant de la pendule. C'est nous qu'on est le battant de la pendule. Une deux! Une deux!

Il peut faire ce qu'il voudra, je suis avec lui et lui avec moi, vous comprenez ce que je veux dire? On va ensemble, il ne fait pas le poids sans moi. Une deux... une deux...

Pardonnez-moi parce qu'on a péché ensemble tous les deux...

Entre Lechy Elbernon.
*Costume de papillon : l'*Acherontia Atropos.

MARTHE

Vous?

LECHY ELBERNON

Pourquoi pas moi?

Un pareil clair de lune, voyons, je n'en aurais pas profité? Ça vous déleste la personne! On flo————tte! On cha————vire dans une espèce d'eau-de-vie lumineuse!

Ivre morte! ivre morte!

Ce serait vache que de rester au lit!

C'est votre lampe, je suppose, qui m'a attirée! Je suis sûre que vous aurez d'autres visiteurs ce soir.

Et j'ai mis mon beau costume de gala pour aller vous voir. Mon costume d'âme! Celui qu'on m'a fait pour les *Follies!*

Le papillon de nuit avec ses énormes yeux tout autour pour vous débarrasser de la pesanteur! Miss Acherontia Atropos!

(*Elle se déploie.*)

Vous me croirez si vous voulez! Rien qu'à vous regarder il me grouille une âme!

MARTHE

Qu'avez-vous fait de Louis?

LECHY ELBERNON

Je ne sais pas ça n'a pas d'importance...

Il n'y a qu'une chose importante, c'est de profiter de cette Fibi la lune, — là-haut

(*Geste lent vertical de l'index.*)

(*D'un seul trait descendendo*) et de ne pas s'exagérer ce méchant grain de plomb dans le cœur si on l'écoutait qui vous ferait tomber.

MARTHE

Pourquoi venez-vous m'insulter?

LECHY ELBERNON (*trois notes*).

Vous insulter? Vous consoler, vous consoler je suis venue!

Je suis venue vous consoler.

Je connais la vie plus que vous. J'ai été modiste dans le temps. Mais les clientes ne payaient pas, oui, je vous dis, elles m'auraient laissé mourir de faim,

Des femmes qui valaient cent mille, deux cent mille dollars, quelle honte!

Ne vous désolez pas! C'est un échange.

Ça s'échange, dites, les âmes? Les corps aussi. Ça se donne prix l'un à l'autre.

C'est comme une robe jaune qui rend le bleu indispensable. Je suis sûre que c'est vous qui m'avez rendue irrésistible.

Tout de même comment a-t-il pu vous laisser là, ma poule blanche, cette Marthe, une valeur sûre.

Pour moi, on dira ce qu'on voudra, je suis une proposition difficile, Lechy Elbernon, Miss Acherontia Atropos!

C'est mal ce qu'il a fait!

Pourquoi ne vous tuez-vous pas si vous êtes une femme bien élevée? Tout le monde sera content.

MARTHE

Je crois que vous êtes ivre.

LECHY ELBERNON

C'est vrai, je suis un peu ivre. Faites comme moi. Une bonne gorgée de lait noir et l'on va loin avec.

Et ce clair de lune des trente-six mille diables par-dessus le marché, j'en ai pris un coup superbe!

Plein la tasse! Un petit peu ébréchée, la tasse, tout de même, regardez! par-dessus ce cimetière à éléphants. Oui, (*claironné :*) un mauvais temps pour se faire couper les cheveux, comme disent les vieux fermiers, car ils repoussent aussi drus que de l'herbe et aussi raides que des poils de cochon!

MARTHE

Mes félicitations. On croirait tout à fait que vous êtes ivre.

LECHY ELBERNON

Je ne suis pas ivre? Sentez!

(*Elle lui souffle à la figure.*)

Savez-vous que je pourrais le ruiner, l'*Incorporé*, si je voulais? Parfaitement!

C'est drôle, mais c'est comme ça!

Ce bungalow n'est que du bois à allumettes, je n'aurais qu'à y mettre le feu tout de suite tout à l'heure.

(*Déclamant.*)

« *Et que l'entrepôt mammouth pète comme une pipe de rhum!* »

(Pardon! c'est le passage d'un rôle que je suis en train d'étudier.)

— Tant par mois! Vous verrez si vous l'épousez, ce n'est pas si drôle que vous croyez! il est avare comme Judas!

MARTHE

Je ne vous comprends pas.

LECHY ELBERNON

Avare, avare comme Judas, vous verrez! et rien jamais à trouver dans les poches du pardessus.

MARTHE

Je n'ai pas envie de l'épouser, je ne suis pas veuve.

LECHY ELBERNON

C'est vrai, vous n'êtes pas veuve et d'autant moins veuve que pas mariée! Pas mariée du tout, cette Marthe. Il va venir vous trouver tout à l'heure.

MARTHE

Je me passerais de le voir.

LECHY ELBERNON

Louis aussi.

MARTHE

Louis aussi?

LECHY ELBERNON

Notre Louis aussi il va venir vous voir. Une nuit comme ça, vous pensez! Tous les papillons se donnent de l'air! Pas moyen de les retenir! Toutes ces psychés-mon-âme! Elles vous sortent de la bouche.

MARTHE

Notre Louis aussi? Charmée!

LECHY ELBERNON

Thomas Pollock aussi.

MARTHE

Thomas Pollock aussi est un papillon?

LECHY ELBERNON

Un papillon à vapeur! C'est dommage qu'il ait perdu son tuyau.

(*Elle pousse à cloche-pied le chapeau de Thomas Pollock Nageoire.*)

N'ayez crainte, il lui en poussera un autre, vo mis sant des torrents de fumée!

(*Elle s'arrête devant Marthe comme en contemplation, les bras étendus.*)

Mon petit pot de violettes blanches!

MARTHE

Je ne suis pas votre petit pot!

LECHY ELBERNON,
lui coupant la parole.

C'est comme ça que Louis vous appelait. Il me l'a dit. Thomas Pollock Nageoire aussi, je suis sûre que vous lui apprendrez à fourrer son nez dans les violettes blanches. Il est bête.
Bête, mais plein de bonne volonté.

MARTHE

Ça m'est égal. Je n'ai rien à faire de Thomas Pollock Nageoire.

LECHY ELBERNON

Lui, si, de vous. Je vois là l'argent sur la table,

sur l'autel, je devrais dire, offert au regard du ciel avec une brique par-dessus. C'est sacré, l'argent, mon petit hnn! une espèce de sacrement, mon petit hnn! plus qu'il n'a jamais tenu de sacrement entre Louis et vous, mon petit poulet!

MARTHE

Vous avez une part dans le bisness.

LECHY ELBERNON

Vous ne comprenez pas Thomas Pollock Nageoire. C'est un cœur simple. C'est vrai qu'il aime l'argent, pourquoi pas? C'est son outil, l'argent. C'est son job, l'argent. Il aime l'argent comme un maçon aime sa truelle. Autrement, le pauvre chou, il ne demande qu'à se dévouer.

La firme d'abord bien sûr, la raison sociale, le Thomas Pollock Nageoire incorporé.

Après, le « Sanctuaire ».

Moi peut-être si je l'avais encouragé.

Vous, sûr, mon petit hnn! il n'y aurait qu'un mot à dire!

MARTHE

Pourquoi le dirais-je?

LECHY ELBERNON

Vous êtes la femme qu'il lui faut, je vous dis, c'est la Providence qui vous a amenée ici,

Et le peau rouge précisément vous êtes la femme qu'il lui faut

Pas!

MARTHE

Vous sans doute vous êtes la femme qu'il lui faut?

LECHY ELBERNON

Peut-être! peut-être!
Il y a tant de femmes en moi, vous savez, pourquoi pas une pour lui?

MARTHE

Laquelle?

LECHY ELBERNON

Laquelle? Mais vous par exemple, croyez-vous que je ne vous aie pas regardée?

MARTHE

Vous savez être Marthe plus que moi?

LECHY ELBERNON

Pas plus. Mieux. Avec du recul. C'est mon métier. Ce garçon, il fallait bien que je lui fournisse ce qu'il demandait. Il vous aime, vous savez!

MARTHE

Il y a une chose que vous ne saurez jamais.

LECHY ELBERNON

Quoi donc?

MARTHE

Le bruit que fait une casserole oui, un certain jour de juin! quand on tape dessus avec une pierre!

LECHY ELBERNON

Gardez-la, votre casserole! C'est vrai que je ne puis pas la lui donner, votre casserole, mais je puis la lui ôter... mieux que vous... lui en donner la nostalgie, le remords, cette présence dans le passé sans la concurrence du présent...

MARTHE

Je garde ma casserole.

LECHY ELBERNON

La vérité est que vous n'avez pas besoin de lui. Il a senti cela, ce garçon. On n'a pas besoin de lui.

MARTHE

Lui a besoin de moi.

Lechy Elbernon s'est assise sur la balançoire.

LECHY ELBERNON

Je sais. C'est cela qu'il n'aime pas, d'avoir besoin de vous.

MARTHE

Il en a besoin tout de même.

LECHY ELBERNON

Moi, j'ai besoin de lui.

MARTHE

Pauvre garçon! L'araignée... Vous savez, il m'appelait l'araignée... sans mauvaise intention... cette araignée au mois de septembre qui est le centre d'un soleil de rosée rose et vert... et maintenant...

LECHY ELBERNON, *se déployant.*

Acherontia Atropos!

MARTHE

Acherontia Atropos! Miss Acherontia Atropos a besoin de lui!

LECHY ELBERNON

Un homme à l'état pur, à l'état natif, à l'état vierge si je peux dire c'est intéressant! ça ne se rencontre pas tous les jours!

Et vous, vous n'êtes pas une araignée, vous êtes un ange! On lui a collé un ange, à ce garçon, comme ça en vrac! Un garçon qui ne sait rien de rien! Il a peur! ça se comprend!

Moi, sûr, je peux pas être un ange, c'est pas possible!

MARTHE

Je ne suis pas un ange et il n'est pas un enfant. Il est comme ce pays-ci, quelque chose des temps anciens, très anciens, un *native,* comme on dit, qui s'est conservé.

LECHY ELBERNON

C'est vrai. Il lui faut un professeur de réalité.

MARTHE

N'ai-je point fait ce que j'ai pu pour cela?

LECHY ELBERNON

Un ange, ça ne sait pas.

MARTHE

Une actrice, ça sait mieux? C'est son job, la réalité?

LECHY ELBERNON

Marthe, ma chérie, ne me mettez pas en colère, c'est dangereux!

Vous le savez bien, que vous n'avez pas besoin de lui.

Tout ce que vous pouviez tirer de lui, c'est fait, il vous l'a donné. Cet enfant qu'il vous a mis dans le ventre! Il vous l'a mis oui ou non? c'est fini! c'est fait!

Moi, j'ai besoin de lui, pourquoi me l'avez-vous amené, tant pis pour vous!

C'est moi qui suis chargée de lui apprendre son vrai nom qu'il ne connaissait pas et c'est lui qui est chargé de m'apprendre le mien.

Croyez-vous que je n'en aie pas assez de toutes ces femmes qui sont sorties de moi, de tout ce tourbillon de papillons sans substance?

Croyez-vous que ça ne soit pas intéressant tout à coup de l'avoir senti bouger en moi, cette inconnue? cette étrangère, la vraie cette intruse tout à coup qui s'appelle Lechy Elbernon?

Et lui, pour apprendre la vie, quel meilleur moyen que de me la donner?

MARTHE

A moi ne m'a-t-il rien donné?

LECHY ELBERNON, *lui touchant le ventre.*

A quelqu'un, vous le savez bien, qui l'a enlevé à lui, à votre profit.

MARTHE

J'entends une insensée qui parle tout haut dans le clair de lune.

LECHY ELBERNON

Bon.

Et sachez que s'il part ce soir — il y a un cheval tout sellé dans l'écurie — il court des risques.

Ce nègre marron, ce nègre fou, ce nègre jaloux qui le guette.

Moi-même, j'ai toujours un revolver sur moi, il faut se défendre!

— Parlez-lui. Soyez raisonnables tous les deux. Si vous ne trouvez pas un moyen de le retenir, il risque beaucoup!

Il risque beaucoup. Bonsoir.

Elle sort.

Louis Laine est là.

MARTHE

Que viens-tu faire ici?

LOUIS LAINE

Ce que je viens faire ici? et cet argent, lui, qu'est-ce qu'il fait là sur la table, s'il te plaît?

MARTHE

C'est vrai, on ne peut pas laisser là cet argent à

ne rien faire. C'est terrible, de l'argent qui ne fait rien. Prends-le.

LOUIS LAINE

Bien entendu, non, tu ne penses pas que je sois venu pour autre chose que cet argent.

MARTHE

Je ne pense rien.

Un temps.

LOUIS LAINE

Marthe...
Tu ne dis rien.

MARTHE

J'écoute.

LOUIS LAINE

Tu vois cette planche qui est là suspendue on ne sait comment

Avec des cordes ? C'est une épave, suppose que ce soit une épave et nous, nous sommes des naufragés, des naufragés de cette mer qui est le clair de lune.

Tu n'as plus si longtemps à me voir. On peut causer. Cette balance à âmes... Viens nous mettre dessus.

(*Ils se dirigent vers la balançoire.*)

Non, pas comme cela... Sens devant dimanche. Comme nous aimions. On est mieux. On ne se voit pas. On est plus libre.

(*Ils s'assoient en effet sens devant dimanche, lui face au public.*)

Bonjour, Marthe.

MARTHE

Bonjour, Louis

LOUIS LAINE

C'est fini toutes ces histoires?

MARTHE

C'est fini.

LOUIS LAINE

Et pour le Thomas Pollock Nageoire je ne t'en veux pas. Tu as bien fait de me lâcher ainsi tranquillement comme tu l'as fait

Pour lui. Il n'y avait pas moyen autrement. Bien que ce me doit dur. Je ne l'aurais pas cru.

MARTHE

Je ne t'ai pas lâché.

LOUIS LAINE

Il n'y avait pas moyen autrement.

(*Brusque et violent.*) Si tu pouvais savoir comme je désirais te quitter!

Jamais, jamais ne plus te revoir! Il le fallait!

(*Changement de ton.*) Je t'aime, Marthe.

MARTHE

Mets ta main là, au-dessous du sein. Qu'est-ce qu'il fait, mon cœur?

LOUIS LAINE

Il bat.

MARTHE

Il bat. Et figure-toi, il y en a un autre qui bat par-dessous.

LOUIS LAINE

Je l'entends qui bat.
Cet enfant il faut bien le protéger (*la joue contre la joue*) Douce-Amère, quand je ne serai plus là. Ce père qui n'a rien pu pour lui que te quitter.
Les dieux m'appellent.

MARTHE

Je saurai faire.

LOUIS LAINE

Tu n'essayes pas de me retenir?

MARTHE

J'ai essayé. Je ne suis pas plus forte que les dieux.

LOUIS LAINE

Et pourquoi que tu ne partirais pas avec moi?

MARTHE

Non.

LOUIS LAINE

Pourquoi non?

MARTHE

Tu serais bien attrapé si je te disais oui.

LOUIS LAINE

J'ai fait la proposition.

MARTHE

Mon Lou, dès le moment que tu as couché avec moi, est-ce que je n'ai pas compris que tu n'avais qu'une idée, c'est de t'en aller!

LOUIS LAINE

Je t'aimais, Marthe!

MARTHE

Bien sûr que tu m'aimais. O comme tu brûlais de t'en aller!

LOUIS LAINE

Donc c'est toi maintenant qui me lâches?

MARTHE

Oui, je veux bien, c'est moi maintenant qui te lâche.

Elle lui prend la main.

LOUIS LAINE

Il n'y aurait qu'à rester, n'est-ce pas?

MARTHE (*Accentuation de la pression*).

Oui, il n'y aurait qu'à rester.

LOUIS LAINE

Je ne peux pas! Il y a cet argent sur la table que j'ai assez reçu pour que je ne puisse pas le rendre!

MARTHE

Pars donc.

LOUIS LAINE

Et il y a en toi avec toi cet autre Louis Laine qui a pris ma place. Tant pis pour le *Number One!*

MARTHE

C'est cela.

Elle s'éloigne de lui.

LOUIS LAINE

Thomas Pollock Nageoire...

MARTHE

Eh bien, Thomas Pollock Nageoire...
Tu peux te fier à lui. C'est un cœur simple, sûr.
Sûr il vous protégera.
Moi-même, c'est dommage que j'aie un rendez-vous...
Marthe Marie! Croirais-tu, que je ne l'ai jamais mieux senti qu'avec cette femme combien j'aurais pu être heureux avec toi!

MARTHE

C'est bon, la honte.

LOUIS LAINE

Ça empêche, la honte? (*d'un seul trait :*) les deux

cœurs ensemble comme à présent de se causer l'un à l'autre, ça empêche, la honte? Il faut que je m'en aille?

MARTHE

Reste.

LOUIS LAINE

Tu te rappelles ce vieux château délabré dans les Alpes quand nous avons fait connaissance,

Tous les deux sur le même lit,

Et le torrent au-dessous de nous à une grande profondeur qui racontait le journal.

Toi endormie... Tu me dormais! Ce n'est pas vrai qu'on peut dormir quelqu'un? Je le sentais bien, que tu me dormais!

MARTHE

C'était le même clair de lune comme cette nuit.

LOUIS LAINE

Non, ce n'était pas le même clair de lune! quelque chose d'entrecoupé.

Ces poussées de lumière par la fenêtre tout à coup comme pour nous donner le fouet et puis la nuit et puis de nouveau ce regard exorbitant et la lune là-haut dans le ciel déchiqueté qui galopait sur son cheval jaune!

Et moi sur le lit qui me débattais contre cette personne, sur le lit paisiblement comme un enfant en train de dormir, en train de me dormir...

Ça n'aime pas être capturé, un aigle!

MARTHE

Tu as réussi à te délivrer.

LOUIS LAINE

Sûr que j'y ai réussi?

MARTHE

Non, ce n'est pas sûr que tu y aies réussi.

LOUIS LAINE

Les dieux sont venus me rechercher.
Il y a un esprit en moi, au-dedans de moi; et il me pousse comme avec une épée tirée.
Tu sais, les choses qu'on ne veut pas faire, qu'on est absolument décidé à ne pas faire...
Et tout à coup l'occasion se présente, toutes les occasions à la fois, une facilité inconvenante irrésistible!
Ce serait un péché de ne pas en profiter.

MARTHE

On est bien de l'autre côté du péché?

LOUIS LAINE

Oui.
C'est de ce côté-là que tu seras toujours sûre de me retrouver.

MARTHE

Ce serait bon, le péché, s'il n'y avait pas ce goût de savon.

LOUIS LAINE

Ce goût de savon? Tu te rappelles?

MARTHE

J'aimerais mieux ne pas me rappeler.

LOUIS LAINE

C'est quand j'étais malade et tu me soignais. J'avais la fièvre... Je suis sorti...

— Ces deux hommes qui portaient une pièce de bois sur leurs épaules, c'était la porte, je suppose. La porte pour sortir.

— Et l'autre, cette espèce d'individu à tête d'élan, derrière la haie, qu'est-ce qu'il fait là à herser la neige?

— Des pays! des pays! des pays! Il y en avait à traverser, des pays! des pays à n'en plus finir! Il y en avait à traverser, des pays, à l'envers et à l'endroit! Et à la fin l'eau noire, de vastes marais... Je m'y suis reconnu, on est arrivé, c'était chez moi dans l'Ouest. C'est là que les Indiens des Pueblos une fois par an vont chercher les âmes de leurs parents morts! et avec de grandes lamentations ils s'en reviennent portant des paniers pleins de tortues,

Et le sachem vint à ma rencontre, mon arrière-grand-père de la tribu des Ratons,

Et il me tendit un aliment pour que je le mange,

Et j'y enfonçai les dents, un goût de savon ça avait...

MARTHE

Tu n'as jamais réussi à t'en débarrasser.

LOUIS LAINE

Il faudrait me secouer fort!

MARTHE,
sautant à bas de la balançoire
et le secouant violemment.

Eh bien, je te secouerai et je te secouerai et je te resecouerai s'il ne faut que cela pour t'en débarrasser de ton morceau de savon!

Rêveur! rêveur! rêveur de rêves! Je n'y réussirai donc jamais à t'en débarrasser, de ton morceau de savon, et de ton sacré vieux boucané d'arrière-grand-père de la tribu des Ratons!

Je n'y réussirai donc jamais à te retirer de c'te saleté de balançoire et à te planter debout sur les deux pieds.

(*Elle l'arrache à l'instrument en question.*)

Et à t'apercevoir de ta main gauche à gauche.

(*Elle lui prend la main gauche avec sa main droite et sa main droite avec sa main gauche : en croix.*)

Et de ta main droite à droite et de ces deux bras à droite et à gauche pour t'en servir.

(*Très en colère mais pas tout à fait sérieux.*)

Bougre de propre à rien!

Et à te pomper un homme à la fin de dessous le dessous de tes souliers,

Un vrai homme avec cette parole dans chaque main que la main droite n'en a jamais fini de jurer à la main gauche!

Elle lui rejette les bras avec un rire tout près des sanglots.

LOUIS LAINE

Qu'attends-tu de moi?

MARTHE

Cet argent sur la table que tu le prennes et que tu le rendes à ce pendu dépendu du bungalow.

LOUIS LAINE

Je ne peux pas le rendre, il y a une brique dessus.

MARTHE

Louis!

LOUIS LAINE

Eh bien!

MARTHE

Ne pars pas! ne me laisse pas ce remords.

LOUIS LAINE

Précisément, c'est un remords que je veux te laisser.

MARTHE

Écoute. Je sais : il y a un cheval sellé qui t'attend
Et il y a aussi quelqu'un sur le chemin qui t'attend et qui prête l'oreille.

LOUIS LAINE

Tu veux dire ce nègre?

MARTHE

Je veux dire ce nègre. Quelqu'un à l'affût.

LOUIS LAINE

Adieu, Marthe. Les dieux m'appellent.

MARTHE

N'as-tu rien à me dire de plus?

LOUIS LAINE

C'est vrai, j'ai quelque chose à te dire de plus!

MARTHE

Quoi donc?

LOUIS LAINE,
arrachant violemment
et triomphalement le scarf de Marthe.

Hourra!

Entre Thomas Pollock Nageoire. Silence.

MARTHE

Une belle nuit, Monsieur.

THOMAS

O, mais est-ce que votre mari n'est pas ici?

(*Elle secoue la tête.*)

Est-ce que vous me permettez de rester un moment avec vous? car je voudrais vous parler.

MARTHE

Permettre ? N'êtes-vous pas le maître ici ?

THOMAS

Ne parlez pas ainsi. Et d'abord pardonnez-moi
Pour ce matin. Je ne me suis pas conduit comme un gentleman.

(*Un temps.*)

J'ai une fille, vous savez. Elle doit avoir le même âge que vous.

Un temps.

MARTHE

Comment s'appelle-t-elle ?

THOMAS

Laura, je crois ; ou Elmira ; Elmira, est-ce que c'est un nom de femme ? Elle est à l'Université ; il y a bien trois ans que je ne l'ai vue.

Divorce, *see ?* Je crois que sa mère est à Cleveland. O. Elle a épousé un ministre. — Oui, elle a bien le même âge que vous.

Moi, je ne sais pas l'âge que j'ai. Pas le temps de me retourner, regarder en arrière, *see ?*

MARTHE

Dommage.

THOMAS

Un sacré bout de chemin, *Bittersweet !* Et tous ces petits T.P.N. à la queue leu leu qui marchent dans la même direction, vous croyez que c'est drôle à regarder?

MARTHE

Non.

THOMAS

J'ai appris aujourd'hui que le vieux Mike est mort.

Oui, mon ancien associé. Nous en avons fait ensemble des bisness!

— Que de choses on se rappelle! Le Sud comme c'était avant la guerre! Quel beau temps!

Well!

J'ai fait de tout, roulé partout, je sais tout!

Tout cela est passé et c'est comme un rêve qu'on a fait.

Mais je puis vous le dire, *sister*.

L'année a été mauvaise, *très* mauvaise, j'ai vu bleu sur les *Cordages,* j'ai bluffé, mais je ne sais pas comment cela finira.

Je ne sais pas pourquoi je vous raconte tout cela.

— *Il* vous a quittée, n'est-ce pas?

MARTHE

Oui.

THOMAS

Et qu'allez-vous faire maintenant?

MARTHE

Vous m'avez déjà demandé cela ce matin.

THOMAS

Excusez-moi. Ne prenez pas ce que je vous dis à mal.
En vérité, je n'ai rien à vous dire mais je ne me sens pas gai... *heavy hearted.*
J'aimerais que vous me parliez gentiment.
Permettez-moi de rester un petit peu avec vous, *Bittersweet.*
Quel est ce poison qu'il y a avec vous, *Bittersweet?*
C'est comme une femme avec vous qui entre dans une chambre en désordre,
Aussitôt d'un seul coup on se rend compte de l'ordre qui n'y est pas.
— C'est vrai!
J'ai donné de l'argent à votre mari pour qu'il vous laisse là.

MARTHE

Vous n'avez rien à lui reprocher, le cher garçon! Il a fait ce qu'il a pu!

THOMAS

Je lui avais dit simplement de partir, s'en aller, il me gênait!

MARTHE

Il est parti, hourra!

THOMAS

Je l'ai rencontré tout à l'heure, il courait comme un fou.

MARTHE

Il a un rendez-vous, le cher garçon, un rendez-vous pressé, cette nuit même, quelqu'un l'attend.

THOMAS

Ce n'est pas sans danger de courir les bois en ce moment. Il n'y a pas eu si longtemps que la guerre est finie. On fait de mauvaises rencontres.

MARTHE

Il est parti, n'est-ce pas, c'est l'essentiel.

THOMAS

Je vous aiderai à rentrer en France, si vous voulez.

MARTHE

Merci.

THOMAS

Il n'est pas nécessaire que vous rentriez.

MARTHE

Merci.

THOMAS

Vous savez combien je *care* pour vous.

MARTHE

Quel bonheur!
Je reste donc, moi et l'enfant que d'avance il vous a fait.

THOMAS

Ne me parlez pas ainsi de ce ton meurtrissant.

MARTHE

Quel ton prendre?
— Pourquoi avez-vous fait cela? pourquoi êtes-vous venu vous mettre entre nous, séparant le mari de la femme, il était mon mari tout de même, vous savez?
Que vous avions-nous fait? N'aviez-vous pas assez à vous sans envier la part des pauvres gens? Pourquoi êtes-vous venu le tenter?
Comme un sauvage qui ne résiste pas à une bouteille d'eau-de-feu? Ne pouviez-vous pas le laisser vivre?

THOMAS

Écoutez-moi avec patience, je vous prie. Je porterai ma faute, s'il y en a une.
Mais où est la règle de la vie,
Si un homme ancien, éprouvé,
Mûr, solide, avisé, capable, réfléchi, ne cherche pas à
Avoir une chose qu'il trouve bonne?
Et si je suis plus riche et plus sage que lui, est-ce ma faute?
J'ai été honnête avec lui et je n'ai point usé de tromperie ni de violence, et je n'ai pas voulu lui faire tort. Je lui ai offert de l'argent et il est tombé d'accord avec moi.
Car je lui causais un dommage et il avait droit à

une compensation. *See?* C'est à lui que j'ai offert de l'argent et non point

A vous, et je n'ai point agi malhonnêtement.

Ne dites point que je vous ai achetée! Mais puisqu'il vous quittait, ne lui fallait-il point de l'argent?

— Voilà ce que j'ai à dire.

MARTHE

L'ennui c'est qu'il n'a pas pris l'argent.

Regardez, il est là sur la table, la brique pardessus, on n'y a pas touché.

Débiteur de lui vous restez.

THOMAS

Cela ne me plaît pas.

MARTHE

Moi non plus.

Je lui dois quelque chose moi aussi

Nous lui devons quelque chose tous les deux.

THOMAS

Tant qu'il sera vivant?

MARTHE

Après, aussi.

Il le sait bien, cette Marthe, qu'on ne s'en débarrasse pas ainsi comme on veut.

Elle aura le dernier mot.

THOMAS

Lechy s'est arrangée pour avoir l'avant-dernier.

MARTHE

Lechy... Puis-je vous demander des nouvelles de votre illustre amie?

THOMAS

Je croyais qu'elle était venue vous trouver ce soir?

MARTHE

En effet, elle était venue me montrer son beau costume d'Acherontia Atropos. Miss Acherontia Atropos.

Elle m'a même récité son rôle.

« Et que l'entrepôt mammouth... »

THOMAS

Je sais

Et que l'entrepôt mammouth!

Pète comme une pipe de rhum!

MARTHE

Il n'y a pas qu'un entrepôt mammouth qui est capable de prendre feu.

THOMAS

Que voulez-vous dire?

MARTHE

Votre Lechy me semblait toute remplie d'idées éblouissantes, ce soir.

Grâce au « lait noir », comme on dit et la maison est entièrement en bois, c'est contagieux, le clair de lune!

Ce bois résineux que l'on emploie ici
Qu'est-ce qui arriverait, je me demande, si elle prenait feu? La maison, je veux dire.

THOMAS

Eh bien! je serais entièrement ruiné. Le voilà, ce qui arriverait! Elle le sait, cette sacrée Lechy!

MARTHE

Pas même un *safe?*

THOMAS

C'est idiot à dire, pas même un safe.

MARTHE

Thomas Pollock quand vous vous serez donné un gouvernement et une constitution, j'ai idée qu'il faudra vous conduire autrement.
En attendant, si j'ai un conseil à vous donner, c'est de vous les mettre et de ne pas perdre de temps.

THOMAS

Sacrée Licky!

MARTHE

C'est cela, dites : sacrée Licky! cela remplace les pompiers!

Un temps.

THOMAS,
grandiose et chevaleresque.

Que la maison brûle, cela fera un beau feu à voir!

Je ne me dérangerai pas quand je suis en train de causer avec une lady!

J'espère que notre Licky aura le temps de sauver ses petits effets personnels.

MARTHE

Moi, je suis là, je reste!

THOMAS

Écoutez, *Bittersweet,* et ne me jugez pas sur cet accès d'imbécillité.

Il me semble que j'ai toujours eu pas mal d'intelligence et de *push,* d'énergie je veux dire, et j'en ai tiré parti tolérablement bien.

Oui...

Et j'ai une chance passable aussi, et même une bonne. Et j'étais fier de ma chance plus que du reste.

Oui...

Je n'ai donc pas à me plaindre, hé?

Je suis un homme sérieux et je sais ce que valent les choses.

C'est pourquoi j'achète et je ne garde rien pour moi, mais je revends.

Oui...

Toutes choses me sont passées par les mains et je pourrais vous montrer tous les comptes.

MARTHE

Est-ce que chaque chose vaut exactement son prix?

THOMAS

Jamais!

MARTHE

Thomas Pollock Nageoire!
Comme un homme qui achète un lot dans une vente après décès, et qui en regardant trouve
Une chose qui à elle seule paye,
Voici que vous avez acquis plus que vous ne pensez et votre dernier achat n'a pas été le pire.

THOMAS

Que voulez-vous dire?

MARTHE

Thomas Pollock, il y a plusieurs choses que j'aime en vous.
La première, c'est que, croyant qu'une chose est bonne, vous ne doutez pas de faire tous vos efforts pour l'avoir.
La seconde, comme vous le dites, est que vous connaissez la valeur des choses, selon qu'elles valent plus ou moins.
Vous ne vous payez point de rêves et vous ne vous contentez pas d'apparences et votre commerce est avec les choses réelles.
Et par vous toute chose bonne ne demeure point inutile,
Mais elle sert.
Vous êtes hardi, actif, patient, rusé, opportun, persévérant, croyant. J'aime ça.
Vous êtes calme, vous êtes prudent, et vous tenez

un compte exact de tout ce que vous faites. Et vous ne vous fiez point en vous seul.

Mais vous faites ce que vous pouvez, car vous ne dépendez pas des circonstances,

Et vous êtes raisonnable et vous savez soumettre votre désir, votre raison aussi,

Aux indications

Et c'est pourquoi vous êtes devenu

(*Écartant lentement les bras de toute leur longueur.*)

Ri..................che!

THOMAS

Je suis pauvre! ne vous moquez pas de moi!

Je suis pauvre parmi toutes ces choses à vendre

Qui sont à moi comme si elles n'y étaient pas et il ne me reste rien entre les mains.

A quoi est-ce que je sers? Pas à autre chose. A échanger.

A passer les choses d'une main à l'autre,

De la main droite à la main gauche et réciproquement.

MARTHE

Regardez!

Lumière rouge et fumée au-dessus des arbres.

THOMAS

That's all!

Entre Lechy Elbernon.

LECHY

Individu Thomas, j'ai à vous dire que votre maison brûle !

THOMAS

J'ai des yeux pour voir, je le vois.

LECHY

Qu'est-ce que ça fait ?

Qu'est-ce que c'est que ça pour vous, une saleté de bicoque de rien du tout.

Je pense que vous n'avez pas fait la folie, hi !

D'emporter des papiers avec vous ? *Goddam !* Ça brûle, le papier !

Comment le feu a-t-il pu prendre ? Tous les domestiques sont partis, et il ne restait plus que moi

Et comme j'étais dans le jardin, j'ai vu tout à coup du rouge dans le salon.

Elle déclame.

« *La porte est fermée et verrouillée ;*

« *Les fenêtres sont fermées et il n'y en a pas une d'ouverte et les volets sont assujettis au-dedans avec le loquet et la barre.*

« *Mais tout à coup comme un homme en qui la folie lugubre a éclaté*

« *Voici qu'on voit par les fentes et par les trous de la porte et des fenêtres resplendir*

« *L'effroyable soleil intérieur !* »

Vous vous rappelez comme vous me donniez la réplique ?

C'est merveilleux

Si vous n'avez plus d'argent je vous ferai engager à Broadway, maître Corbeau!

THOMAS

Lechy, je pense que vous n'êtes pas bien.

LECHY

Je suis ivre, je suis ivre, hourra! et je ne puis me tenir sur les pieds, hourra!

C'est moi qui ai mis le feu à ta maison, individu Thomas, et ta fortune s'en va en fumée et voici que tu n'as plus rien, moi non plus, bon débarras!

Servantes, mettez le feu à la maison, c'est plus commode pour la nettoyer! Que la manufacture brûle, que la récolte brûle! que les villes brûlent avec les banques

Et les églises, et les magasins,

(*Elle se plante devant Marthe.*)

Et que l'entrepôt mammouth

Pète comme une pipe de rhum! Et moi aussi je brûle!

(*Elle lui souffle à la figure.*
Se retournant vers Thomas, elle le secoue par les épaules.)

Et toi aussi tu brûleras dans le milieu de l'enfer où vont les riches qui sont comme des chandelles sans mèche.

Afin que tu te consumes comme de la laine, et comme de la pâte qui se réduit sur une plaque de fer!

THOMAS

Lechy, je ne puis supporter votre profanité.

LECHY

« *Tout brûle et la flamme du temps est attachée à nos os, et les compagnies d'assurances n'y peuvent rien.*

« *Et elle ne périt point après que nous sommes morts, et il ne nous reste que quelques os comme les pierres et elle s'y attache encore.* »

On voit sur l'herbe éclairée par la lune l'ombre longue d'un cheval qui court çà et là.

THOMAS

Qu'est-ce que cela?

LECHY

Je sais ce que c'est!

Cours! Va! Arrête ce cheval que son cavalier ne peut pas diriger.

Thomas rapporte le corps de Louis Laine qu'il dépose sur les genoux de Marthe.

LECHY

Prends-le et garde-le maintenant! Prends-le, je te le rends. Il est à toi, maintenant et il ne t'échappera plus. Tiens-le. Ne sois plus jalouse! Maintenant il est à toi toute seule. Retire-lui les boyaux! retire-lui le cœur, le mettant à part dans un pot. Croise-lui les mains sur la poitrine et attache-lui la tête sur les genoux.

Et conserve-le dans ta chambre, l'ayant mis dans une jarre de millet.

Ne t'ai-je pas bien vengée?

Tiens-le! il est à toi, rassasie-toi de lui, lèche-lui la figure!

La femme est profonde
Et son sort est d'aimer et de ne pas être aimée, car l'homme ne l'aime point.

MARTHE, *à Louis Laine.*

Pourquoi t'es-tu séparé de moi?
Le monde à nous deux, si tu l'avais voulu, à nous deux est-ce qu'on n'était pas capable de trouver le chemin pour ne pas y revenir?
Ne t'ai-je pas donné mon cœur à manger, une vraie nourriture,
Comme un fruit où les dents restent enfoncées?
Laissez-moi vous regarder, ô mon étrange époux! Qui êtes-vous? que dites-vous, répondez, froides lèvres!
Qu'attendez-vous de moi encore?
Vous êtes mort et je ne peux plus vous servir.
O! quelle question il y a sur votre pâle figure et pourquoi me regardez-vous ainsi avec cette expression d'étonnement et de reproche?
Sans doute il y a une manière dont j'aurais dû t'aimer et je ne t'ai pas aimé de celle-là.
Et vous me regardez avec ces yeux que j'ai appris à ne pas voir.

LECHY

Et moi, est-ce que je ne l'ai pas aimé et est-ce que je n'ai pas à me plaindre aussi?
La séquestrée attend
Que quelqu'un ouvre la porte et la pousse.
Personne n'est venu.
Et je suis sortie toute seule par les lieux sauvages et arides,

Portant
Un vase plein avec moi, par le désert de sel.
Et il s'est brisé et l'eau des larmes s'est répandue en moi,
Comme une source perdue dont le passant dit :
« Il y a de l'eau, car l'herbe est verte », et il n'y trouve que de la boue,
Et je bois cette eau moi-même et j'en suis enivrée.
Riez de moi parce que je suis ivre et que je ne peux pas marcher droit ! Je suis perdue et je ne sais où je suis.

(*Elle fait quelques pas en chancelant.*)

Vous riez parce que je ne marche pas droit ? Et vous essayez voir ?
Je suis un ange ! je ne tiens plus à la terre, je ne tiens plus à rien !
Vous croyez que c'est commode de marcher quand on ne tient plus à rien !
Regardez comme je fais bien la femme ivre !

Elle va s'asseoir sur la balançoire où elle restera tout le reste de la pièce, un bras nu accroché à la corde très haut, se balançant lentement.

MARTHE

Thomas Pollock, pensez-vous que la vie ne vaille que d'être gaspillée ainsi ?

THOMAS,
avec plus de ténacité que de conviction.

Tout vaut tant.

MARTHE

Tant de papier?

THOMAS

A la condition de savoir s'en servir.

MARTHE

Reprenez-donc celui-ci qui est là sur la table.

THOMAS

Je ne peux pas. Il y a une brique par-dessus.

(*Un temps.*)

Bittersweet!

(*Un temps.*)

Bittersweet!

(*Un temps.*)

Vous ne voulez pas me donner la main?

Elle lui tend la main sans le regarder.

LECHY, *à moitié endormie.*

Akkeri ekkeri ukeri an!

Marthe a retrouvé son écharpe au cou de Louis Laine. Elle la lui met sur la figure.

NOTES

PREMIÈRE VERSION

La première version de l'Échange, *composée en 1893-1894 à New York et à Boston a été publiée dans la revue* l'Ermitage *en 1900, puis, en librairie, dans le recueil* l'Arbre *en 1901, dans le tome III du Théâtre en 1911 (les deux volumes aux Éditions du Mercure de France). Elle a été reprise en 1947 dans le tome I du* Théâtre, *Bibliothèque de la Pléiade, et en 1954 dans le tome VIII des* Œuvres complètes *(les deux volumes aux Éditions Gallimard).*

C'est aux notes de cette dernière publication que nous empruntons les éléments de la présente notice, à l'exception d'un texte de Paul Claudel de 1937 resté inédit en librairie jusqu'à présent et que l'on trouvera ci-dessous.

A la scène, la pièce fut créée par Jacques Copeau en 1914 au Théâtre du Vieux-Colombier, puis par Georges Pitoëff en 1939 au Théâtre des Mathurins. A partir de 1940 Ludmilla Pitoëff reprit la mise en scène, les décors et les costumes de Georges Pitoëff pour des tournées à l'étranger (les Allemands n'en autorisaient la représentation en France qu'à condition que l'action soit transportée des États-Unis au Portugal ou en Norvège, ce que Claudel refusa). En 1946

Ludmilla Pitoëff donna la pièce à la Comédie des Champs-Élysées.

Pour le programme de Georges Pitoëff, et dès 1937, Paul Claudel avait écrit le texte suivant :

« Il y a deux hommes en moi », est-il dit dans un cantique célèbre. Deux hommes seulement? Ce n'est pas beaucoup! Ainsi du moins pensait l'auteur de la pièce que vous allez entendre ce soir (qui fut écrite, en Amérique, l'an de grâce 1893 et jouée pour la première fois à Paris, en 1914, au Vieux-Colombier par les soins de M. Jacques Copeau). Enfin va pour les hommes! Mais pour les femmes? Il y a aussi les femmes! Disons deux femmes. Deux hommes et deux femmes, cela fait quatre personnages, tous les éléments d'un conflit et d'un échange, — la matière d'un drame où aux trois unités traditionnelles s'en ajoute une autre, fondamentale.

L'Amérique a beaucoup changé depuis 1893, au moins en apparence. Cette date, au dire d'un bon observateur, M. André Siegfried, marque la fin aussi, en même temps, de l'esprit puritain qui animait les hommes d'organisation et de proie et de cet esprit de découverte et d'aventure, qu'on appelle là-bas « l'esprit de frontière ». — La fin? Ce n'est pas sûr. Disons simplement que cet esprit a pris une autre forme. L'esprit puritain également.

Le jeune homme qui pour la première fois il y a quarante-cinq ans quittait son pays et une terre où l'attachaient des liens profonds, pour mettre le pied dans cet exil qui dès lors constituait sa carrière et sa destinée, trouvait de l'autre côté de l'Atlantique tout un matériel humain à la disposition de sa crise intérieure : toute une « distribution ».

Louis Laine, le jeune sauvage, à moitié Indien, cet affamé de l'horizon, réfractaire à toute discipline, à toute entrave et à tout ordre imposé, quel poète, et je dirai, quel mâle, enfant d'homme, ne le porte en lui? Il n'est pas long à trouver un auxiliaire en *Lechy Elbernon* ou en quelqu'une de ses sœurs qui représente, comme elle dit l'enlaçant d'une forte main, « la liberté », cette liberté dérisoire qui donne sous l'amorce des sens le dérèglement de l'imagination.

Marthe, c'est l'âme en ce qu'elle a de meilleur. C'est une fidélité avec nous de la femme. C'est cette compagne qui ne nous abandonne qu'à la mort de la conscience, cette voix tendre, suave, pleine d'autorité aussi, qui nous conseille le bien. Son autre nom est Douce-Amère. Elle n'est que foi, amour et vérité. Mais elle aussi en ce Monde est une exilée.

Et cependant de l'autre côté de l'Océan, elle a trouvé un partenaire. Le voici qui apparaît sous ce noir haut-de-forme abrupt et vertical comme une tour. Son nom est *Thomas Pollock Nageoire.* Toutes les qualités que le Seigneur loue dans l'Évangile de l'Intendant infidèle et dont elle cite avec un amer sourire l'exemple aux « enfants de lumière », il les possède. Il est tout d'une pièce. Il est tout animé de cette honnête simplicité qui ne permet pas à un homme de douter de ce qui est bon et ce qui lui paraît bon, c'est l'argent, c'est-à-dire cette espèce de sacrement matériel qui nous donne la domination du Monde moyennant un contrôle exercé sur notre goût de l'immédiat. Il possède ce signe de vendre et d'acheter. Pour effectuer cet échange qui est le sujet de la pièce, pour opérer la conjonction, redoutable en son ironie, de la sagesse divine et de la sagesse pratique, ne fallait-il pas un commissionnaire et un banquier? C'est-à-dire un trafiquant de valeurs invisibles? « Je suis pauvre », finit-il par déclarer pensivement en se détachant de la citadelle portative qui le surmonte.

Peut-être après tout est-il de ces « publicains » dont il est écrit qu'ils nous précéderont dans le royaume de Dieu.

Paul Claudel.

Texte de Paul Claudel pour le programme de 1946.

L'Échange a été écrit en 1893. C'était à New York au moment de ma première expatriation, fort douloureusement ressentie. L'Amérique de cette fin de siècle ne ressemblait guère à celle d'aujourd'hui, pas plus que Louis Laine à un certain ambassadeur de France à Washington.

L'Échange a été créé au Vieux-Colombier en 1913 par Jacques Copeau. Il a été repris avec le succès que l'on sait au Théâtre des Mathurins en 1939 par Georges et Ludmilla Pitoëff.

Des jeunes gens entreprenants avaient eu l'idée de jouer *l'Échange* sous l'occupation, et ces Messieurs y avaient consenti, à condition que l'action se passât en Norvège ou au Portugal!

L'Échange est peut-être la seule de mes pièces où il ne m'ait pas paru nécessaire au cours des années d'introduire aucune modification. Les critiques sagaces n'ont pas été sans s'apercevoir que les quatre personnages ne sont que les quatre aspects d'une seule âme qui joue avec elle-même aux quatre coins. Et pardon pour la raideur des silhouettes, la brutalité des couleurs et le sans-gêne de l'apprenti dramaturge!

Paris, décembre 1946.

En hommage à son interprète Ludmilla, Claudel donne le texte suivant au Figaro Littéraire *du 25 janvier 1947 :*

Ludmilla Pitoëff n'élève jamais beaucoup la voix : mais elle n'a pas plus tôt commencé à parler que l'auditeur a perdu toute envie d'être autre part que là : ici. L'âme est atteinte. Quelqu'un a trouvé le moyen de m'atteindre avec le timbre propre, avec l'inflexion indispensable. L'oreille encore vibrante du mot qui vient de s'éteindre, il n'a plus qu'à attendre, le cœur battant, la suite, à surveiller cette bouche de nouveau qui va s'ouvrir. Mais elle-même, comme elle écoute! comme elle sanctifie, si je peux dire, de quel pouvoir de sens et d'émotion elle imprègne, du seul fait de la chance de pénétration qu'elle lui offre, du seul fait de cette attention à l'âme, de ce silence réceptif, la parole qui lui est adressée. La vérité est là ! Les yeux se mouillent, il s'éveille au fond de nous quelque chose d'ancien, et de bon, et d'authentique. « Tu n'expliques rien, ô poète, mais toutes choses par toi nous deviennent explicables. » Quelle fortune pour moi que cette bouche délicieuse m'expliquant, au jeu de ces deux timbres tour à tour que je connais si bien, ma faiblesse et mon malheur, avec une suavité raisonnable ! Et que le français est beau sur ces lèvres irréprochables ! Quelle justesse, dans le placement de l'atome intellectuel et sonore qui confère à la phrase son équilibre, et que cet infaillible tact, avec une résonance poignante, sur la corde exquise ! Le triste alexandrin n'est plus là pour nous imposer son arithmétique et tout ce fastidieux artifice de ricochets. Il n'y a qu'une âme — Philomèle ! — qui invente au fur et à mesure sa prosodie. Mère, amante, c'est donc toi à la fin, femme, que j'ai trouvée, dans une curieuse ressemblance avec la sagesse de Dieu !

Et je n'ai rien dit de la justesse lente, de la lente arrivée à la justesse, des attitudes et des mouvements, qui ne fait qu'un sur la partition avec le développement de la mélodie. De ce déplacement à mesure sur la portée à trois dimensions de cette barre avec autorité qu'est la personne pourvue du bras et de la main. De ces trouvailles de geste géniales, déchirantes, et je dirai presque attentatoires à ces régions en nous où l'âme aveuglément veille sur ses trésors les plus sacrés.

J'ai connu la Duse dans ses dernières années. Je ne crois pas qu'elle ait jamais atteint devant le public quelque chose de comparable à cette merveille de simplicité, de sensibilité et de musique qu'est notre Ludmilla Pitoëff.

Paris, le 14 janvier 1947.

Paul Claudel.

SECONDE VERSION

La seconde version de l'Échange, *composée en 1950 et 1951 à Brangues et à Paris, a été publiée en 1954 aux Éditions du Mercure de France.*

Elle a été représentée en 1951 au Théâtre Marigny par la Compagnie Madeleine Renaud — Jean-Louis Barrault.

Le 17 juillet 1951, « après une nuit d'insomnie », Paul Claudel adressait à Jean-Louis Barrault la lettre suivante (la première représentation ne devait avoir lieu que le 13 décembre) :

Mon cher Jean-Louis,

Il y a une conscience artistique comme il y a une conscience morale. La mienne cette nuit ne m'a pas laissé dormir. C'est sa voix péremptoire, que vous allez entendre, en dehors de tout amour-propre d'auteur. La révision à laquelle je viens d'achever de procéder de *l'Échange* m'a convaincu du disparate *essentiel* qui sépare la version I de la version II et qui ne permet guère une conciliation. Je vais tâcher de vous l'expliquer, par écrit, mieux que je ne puis le faire oralement.

Quand j'ai écrit le premier *Échange,* j'étais encore dans toute la ferveur de ma conversion et de la vie austère et quasi érémitique que je m'étais faite à Paris. Brusquement, violemment je me trouvais transporté, immergé, dans le milieu le plus différent possible, celui de l'Amérique des *Nineties,* où d'ailleurs l'habitude prise et l'absence d'argent m'obligeaient à maintenir le même isolement rétracté. Bien que le contact maintenant pris avec la vie pratique, avec l'espace et par contrecoup avec des forces intérieures qui ne demandaient qu'à se développer, ait introduit en moi tout un monde nouveau d'idées et de sensations obscures et puissantes.

L'idée fondamentale de *l'Échange I* fut une idée religieuse. Marthe est l'incarnation de cette création mystérieuse du chapitre VIII des *Proverbes* (telle que je la réalisais alors) dont on trouvera le reflet dans toutes mes figures de femmes. Elle a contracté un mariage légitime, mais tout de même bizarre, avec un jeune être avide de ce monde qui vient de lui être révélé, et impatient de toute contrainte. Cette vocation est accentuée en lui par la rencontre d'une espèce de muse déjà pressentie, « la promesse qui ne peut être tenue », « la Vérité avec le visage de l'Erreur » — la future Ysé! — la puissance de fiction qui ajoute ses ailes immatérielles aux jarrets de ce jeune poulain! Mais en même temps il y a eu cet intérêt durement pris à la vie réelle : Thomas Pollock Nageoire. L'artiste n'a qu'un contact superficiel, épidermique, avec la réalité. L'*homme fait* est celui qui fait. Chez l'homme vrai, c'est tout l'être, cervelle, muscles, estomac, entrailles qui entre en jeu. On est dans le jeu pour de bon, on est engagé à fond, jusqu'au cou! On est un homme. C'est bon d'être un homme, un homme d'affaires. Mais tout homme vrai n'est-il pas un homme d'affaires? Je sentais cela confusément.

Le tout réalisé avec un talent en crise de puberté, en état de mue. Un mélange de force neuve et de gestes conventionnels. Une gamme pleine de fausses notes parfois atroces. Mais les valeurs fondamentales toutes à leur place et ne demandant qu'à se développer.

Plus tard les représentations de Ludmilla m'avaient révélé à la fois la force et les faiblesses du drame. Cela pouvait passer, pour des tréteaux aventureux. Mais étant donné l'interprétation hors ligne que vous m'apportiez, je ne pouvais me contenter, sur la première scène de Paris, d'une ébauche de jeunesse, de quelque chose d'aussi inchoatif.

Mais quand, la plume à la main, je me mis à revivre le drame, je m'aperçus que les choses n'allaient pas toutes seules! Marthe surtout n'était plus la même, elle avait mangé de la viande, elle rejetait violemment la bouillie que j'essayais de lui remettre dans la bouche. *Ce n'était plus une vaincue,* l'épave de la première version dont on ne sait ce qu'elle devient. C'est la Femme forte, par-dessus tous les accidents, à la hauteur de toutes les situations, pleine d'énergie et de gaieté. C'est vrai, elle s'est laissé séduire par Louis Laine — l'insecte mâle! — mais elle se sent tellement plus forte que lui! *il y a une nuance d'amusement dans la manière dont elle le voit manœuvrer pour se débarrasser d'elle!* Elle est avec le bien. Sa douleur, une douleur d'autant plus émouvante qu'inspirée par des motifs moins égoïstes, est de voir ce pauvre garçon faire l'imbécile, lui craquer dans la main, ne rien comprendre au bien qu'elle peut lui faire! à cette communion que symbolise au plus profond d'elle-même l'enfant! à cette douceur qu'est le devoir. Cela est exprimé d'une manière que je croyais suffisamment pathétique par ces deux mains qui se jurent quelque chose derrière son dos à lui. Mais elle, vaincue? Jamais! Cette Amérique où il l'a amenée, ce Nouveau Monde, ce monde nouveau dont Louis Laine n'a trouvé usage que pour se pousser de l'avant, elle est prête à s'en emparer. Louis Laine, qui dans le fond l'a pénétrée, puisqu'il n'y a pas moyen autrement, qu'il passe dans l'ultérieur, dans le département de la prière où il l'attendra! Avec un éclat de rire, elle met la main sur le nouveau champion. La pièce ne tourne pas court, elle rebondit, comme disait Francisque Sarcey. *L'enfant conçu de Louis Laine a besoin de Thomas Pollock Nageoire pour se réaliser* (l'échange!).

J'aime ces dénouements qui ne sont pas la destruction,

mais l'aboutissement et la plénification l'une par l'autre des oppositions engagées.

Louis Laine avec son instinct de sauvage a compris cela, c'est une figure pleine de significations. Il y a le sauvage bien sûr, mais aussi tous ces « poètes maudits » du XIXe siècle, sans poches, « sans mains » (Arthur Rimbaud), sans aptitude à la vie pratique (Poe, Baudelaire, Rimbaud, Verlaine, Nerval, Artaud, etc.), enfin, étrangement, dans le ménage d'Animus et Anima, c'est lui, le mâle qui est Anima, l'étincelle séminale ! Son union avec Marthe, il le sent, ne peut se faire sur le plan pratique, mais sur un plan pur, gratuit, dût la mort intervenir ! Il combine un plan sournois, un piège, il s'arrange pour qu'elle lui doive quelque chose, pour qu'elle, pour que le monde entier restent avec lui *dans le rouge* (argot comptable), un suprême croc-en-jambe dans la carrière où il la suit d'un œil goguenard, douloureux et non dénué de mépris.

Rien à dire des deux autres personnages, si ce n'est qu'ils participent à cet étrange sentiment d'irréalité que m'a procuré et à d'autres aussi (Lenau, Stevenson), l'Amérique, *l'autre monde*. Marthe joue pour eux le rôle du sang du taureau dans la *Nekuia* d'Homère, qui attire les essaims des morts. Ils viennent lui demander la réalité. « La vraie vie est absente ». (Arthur Rimbaud.)

C'est pourquoi je tiens tant à ce décor d'autre monde que j'ai découpé dans *Life* et pourquoi je regrette ce contact prophétique de Marthe avec lui que j'avais indiqué dans les actes I et II et que vous m'avez si cruellement supprimé.

La Marthe du I et la Marthe du II représentent des êtres différents. L'une est un personnage élégiaque et résigné. L'autre un autre côté du caractère féminin, l'obstination, l'énergie, l'espérance, la bonne humeur, qu'elle puise dans ce sentiment profond d'un devoir envers l'avenir. Je pourrais peut-être tenir compte de votre idée très belle et très juste sur la honte, mais une juxtaposition brutale des deux textes est impossible. Donnez-moi une chance à quelque chose de plus subtil.

Reste la question du prologue de l'acte III. Là, j'ai été lâche, je vous ai fait une concession impossible. Ce prologue déclamatoire et nostalgique est absolument impossible. Je sens dans la moelle de mes os ce que mon idée des lettres est excellente. Je ne peux pas céder. Je ne puis faire autrement que d'être irréductible. Je vous en prie! Faites-moi cette concession au prix de toutes celles que moi-même je vous ai faites. Vous me dites que vous avez été surpris. C'est bon la surprise. Au théâtre le surprenant est souvent signe d'une bonne chose. Je ferai quelques coupures. Mais si vous insistez, vous me désespérerez!

Si vous y tenez, je pourrais supprimer la lettre aux parents, à mon grand regret!

Paul Claudel.

Texte de Paul Claudel pour le programme du Théâtre de Marigny :

Les autres délégués qui jadis, à mon premier débarquement outre-mer, m'attendaient pour au nom du rêve m'ouvrir les portes de l'avenir, les voici aujourd'hui, émergeant d'un passé hétéroclite et complices d'une conscience mal apaisée, qui reparaissent derrière pour éclairer leur antique balbutiement et réclamer leur droit à l'authenticité, à la présence. A la présence? Mais sous des déguisements divers, est-ce qu'ils ont jamais cessé d'être là?

24 novembre 1951.

TABLE

L'ÉCHANGE 7
Première version
L'ÉCHANGE 129
Deuxième version
NOTES 261

DU MÊME AUTEUR

Aux Éditions Gallimard

Poèmes.

CORONA BENIGNITATIS ANNI DEI.

CINQ GRANDES ODES.

LA MESSE LÀ-BAS.

LA LÉGENDE DE PRAKRITI.

POÈMES DE GUERRE.

FEUILLES DE SAINTS.

LA CANTATE À TROIS VOIX, *suivie de* SOUS LE REMPART D'ATHÈNES et de traductions diverses (Coventry Patmore, Francis Thompson, Th. Lowell Beddoes).

POÈMES ET PAROLES DURANT LA GUERRE DE TRENTE ANS.

CENT PHRASES POUR ÉVENTAILS.

SAINT FRANÇOIS, *illustré par José-Maria Sert.*

DODOITZU, *illustré par R. Harada.*

ŒUVRE POÉTIQUE (1 vol., *Bibliothèque de la Pléiade*).

Théâtre.

L'ANNONCE FAITE À MARIE.

L'OTAGE.

LA JEUNE FILLE VIOLAINE (*première version inédite de 1892*).

LE PÈRE HUMILIÉ.

LE PAIN DUR.

LES CHOÉPHORES. — LES EUMÉNIDES, *traduit du grec.*

DEUX FARCES LYRIQUES : Protée. — L'Ours et la Lune.

LE SOULIER DE SATIN OU LE PIRE N'EST PAS TOUJOURS SÛR.

LE LIVRE DE CHRISTOPHE COLOMB, *suivi de* L'HOMME ET SON DÉSIR.

LA SAGESSE OU LA PARABOLE DU FESTIN.

JEANNE D'ARC AU BÛCHER.

L'HISTOIRE DE TOBIE ET DE SARA.

LE SOULIER DE SATIN, *édition abrégée pour la scène.*

L'ANNONCE FAITE À MARIE, *édition définitive pour la scène.*

PARTAGE DE MIDI.

PARTAGE DE MIDI, *nouvelle version pour la scène.*

THÉÂTRE (2 vol., *Bibliothèque de la Pléiade*).

Prose.

POSITIONS ET PROPOSITIONS, I et II.

L'OISEAU NOIR DANS LE SOLEIL LEVANT.

CONVERSATIONS DANS LE LOIR-ET-CHER.

FIGURES ET PARABOLES.

LES AVENTURES DE SOPHIE.

UN POÈTE REGARDE LA CROIX.

L'ÉPÉE ET LE MIROIR.

ÉCOUTE, MA FILLE.

TOI, QUI ES-TU ?

SEIGNEUR, APPRENEZ-NOUS À PRIER.

AINSI DONC ENCORE UNE FOIS.

CONTACTS ET CIRCONSTANCES.

DISCOURS ET REMERCIEMENTS.

L'ŒIL ÉCOUTE.

ACCOMPAGNEMENTS.

EMMAÜS.

UNE VOIX SUR ISRAËL.

L'ÉVANGILE D'ISAÏE.

LE LIVRE DE RUTH.

PAUL CLAUDEL INTERROGE L'APOCALYPSE.

PAUL CLAUDEL INTERROGE LE CANTIQUE DES CANTIQUES.

LE SYMBOLISME DE LA SALETTE.

PRÉSENCE ET PROPHÉTIE.

LA ROSE ET LE ROSAIRE.

TROIS FIGURES SAINTES.

VISAGES RADIEUX.

QUI NE SOUFFRE PAS... (Réflexions sur le problème social.) *Préface et notes de Hyacinthe Dubreuil.*

MÉMOIRES IMPROVISÉS, *recueillis par Jean Amrouche.*

CONVERSATION SUR JEAN RACINE.

ŒUVRES EN PROSE (1 vol., *Bibliothèque de la Pléiade*).

MORCEAUX CHOISIS.

PAGES DE PROSE, *recueillies et présentées par André Blanchet.*

LA PERLE NOIRE. *Textes recueillis et présentés par André Blanchet.*

JE CROIS EN DIEU. *Textes recueillis et présentés par Agnès du Sarment. Préface du R. P. Henri de Lubac, S. J.*

AU MILIEU DES VITRAUX DE L'APOCALYPSE. *Dialogues et lettres accompagnés d'une glose. Édition établie par Pierre Claudel et Jacques Petit.*

Correspondance.

CORRESPONDANCE AVEC ANDRÉ GIDE (1899-1926). *Préface et notes de Robert Mallet.*

CORRESPONDANCE AVEC ANDRÉ SUARÈS (1904-1938). *Préface et notes de Robert Mallet.*

CORRESPONDANCE AVEC FRANCIS JAMMES ET GABRIEL FRIZEAU (1897-1936) AVEC DES LETTRES DE JACQUES RIVIÈRE. *Préface et notes d'André Blanchet.*

JOURNAL (2 vol., *Bibliothèque de la Pléiade).*

ŒUVRES COMPLÈTES : *vingt-huit volumes parus.*

CAHIERS PAUL CLAUDEL :

I. « TÊTE D'OR » ET LES DÉBUTS LITTÉRAIRES

II. LE RIRE DE PAUL CLAUDEL

III. CORRESPONDANCE PAUL CLAUDEL – DARIUS MILHAUD 1912-1953

IV. CLAUDEL DIPLOMATE

V. CLAUDEL HOMME DE THÉÂTRE

VI. CLAUDEL HOMME DE THÉÂTRE : CORRESPONDANCE AVEC COPEAU, DULLIN, JOUVET

VII. LA FIGURE D'ISRAËL
VIII. CLAUDEL ET L'UNIVERS CHINOIS
IX. PRAGUE
X. CORRESPONDANCE PAUL CLAUDEL – JEAN-LOUIS BARRAULT
XI. CLAUDEL AUX ÉTATS-UNIS 1927-1933.

COLLECTION FOLIO

Dernières parutions

2675.	Agustina Izquierdo	*Un souvenir indécent.*
2677.	Philippe Labro	*Quinze ans.*
2678.	Stéphane Mallarmé	*Lettres sur la poésie.*
2679.	Philippe Beaussant	*Le biographe.*
2680.	Christian Bobin	*Souveraineté du vide* suivi de *Lettres d'or.*
2681.	Christian Bobin	*Le Très-Bas.*
2682.	Frédéric Boyer	*Des choses idiotes et douces.*
2683.	Remo Forlani	*Valentin tout seul.*
2684.	Thierry Jonquet	*Mygale.*
2685.	Dominique Rolin	*Deux femmes un soir.*
2686.	Isaac Bashevis Singer	*Le certificat.*
2687.	Philippe Sollers	*Le Secret.*
2688.	Bernard Tirtiaux	*Le passeur de lumière.*
2689.	Fénelon	*Les Aventures de Télémaque.*
2690.	Robert Bober	*Quoi de neuf sur la guerre ?*
2691.	Ray Bradbury	*La baleine de Dublin.*
2692.	Didier Daeninckx	*Le der des ders.*
2693.	Annie Ernaux	*Journal du dehors.*
2694.	Knut Hamsun	*Rosa.*
2695.	Yachar Kemal	*Tu écraseras le serpent.*
2696.	Joseph Kessel	*La steppe rouge.*
2697.	Yukio Mishima	*L'école de la chair.*
2698.	Pascal Quignard	*Le nom sur le bout de la langue.*
2699.	Jacques Sternberg	*Histoires à mourir de vous.*
2701.	Calvin	*Œuvres choisies.*
2702.	Milan Kundera	*L'art du roman.*
2703.	Milan Kundera	*Les testaments trahis.*

2704. Rachid Boudjedra — *Timimoun.*
2705. Robert Bresson — *Notes sur le cinématographe.*
2706. Raphaël Confiant — *Ravines du devant-jour.*
2707. Robin Cook — *Les mois d'avril sont meurtriers.*
2708. Philippe Djian — *Sotos.*
2710. Gabriel Matzneff — *La prunelle de mes yeux.*
2711. Angelo Rinaldi — *Les jours ne s'en vont pas longtemps.*
2712. Henri Pierre Roché — *Deux Anglaises et le continent.*
2714. Collectif — *Dom Carlos* et autres nouvelles françaises du XVIIe siècle.
2715. François-Marie Banier — *La tête la première.*
2716. Julian Barnes — *Le porc-épic.*
2717. Jean-Paul Demure — *Aix abrupto.*
2718. William Faulkner — *Le gambit du cavalier.*
2719. Pierrette Fleutiaux — *Sauvée !*
2720. Jean Genet — *Un captif amoureux.*
2721. Jean Giono — *Provence.*
2722. Pierre Magnan — *Périple d'un cachalot.*
2723. Félicien Marceau — *La terrasse de Lucrezia.*
2724. Daniel Pennac — *Comme un roman.*
2725. Joseph Conrad — *L'Agent secret.*
2726. Jorge Amado — *La terre aux fruits d'or.*
2727. Karen Blixen — *Ombres sur la prairie.*
2728. Nicolas Bréhal — *Les corps célestes.*
2729. Jack Couffer — *Le rat qui rit.*
2730. Romain Gary — *La danse de Gengis Cohn.*
2731. André Gide — *Voyage au Congo* suivi de *Le retour du Tchad.*
2733. Ian McEwan — *L'enfant volé.*
2734. Jean-Marie Rouart — *Le goût du malheur.*
2735. Sempé — *Âmes sœurs.*
2736. Émile Zola — *Lourdes.*
2737. Louis-Ferdinand Céline — *Féerie pour une autre fois.*
2738. Henry de Montherlant — *La Rose de sable.*
2739. Vivant Denon, Jean-François de Bastide — *Point de lendemain*, suivi de *La Petite Maison.*
2740. William Styron — *Le choix de Sophie.*
2741. Emmanuèle Bernheim — *Sa femme.*

2742. Maryse Condé — *Les derniers rois mages.*
2743. Gérard Delteil — *Chili con carne.*
2744. Édouard Glissant — *Tout-monde.*
2745. Bernard Lamarche-Vadel — *Vétérinaires.*
2746. J.M.G. Le Clézio — *Diego et Frida.*
2747. Jack London — *L'amour de la vie.*
2748. Bharati Mukherjee — *Jasmine.*
2749. Jean-Noël Pancrazi — *Le silence des passions.*
2750. Alina Reyes — *Quand tu aimes, il faut partir.*
2751. Mika Waltari — *Un inconnu vint à la ferme.*
2752. Alain Bosquet — *Les solitudes.*
2753. Jean Daniel — *L'ami anglais.*
2754. Marguerite Duras — *Écrire.*
2755. Marguerite Duras — *Outside.*
2756. Amos Oz — *Mon Michaël.*
2757. René-Victor Pilhes — *La position de Philidor.*
2758. Danièle Sallenave — *Les portes de Gubbio.*
2759. Philippe Sollers — *PARADIS 2.*
2760. Mustapha Tlili — *La rage aux tripes.*
2761. Anne Wiazemsky — *Canines.*
2762. Jules et Edmond de Goncourt — *Manette Salomon.*
2763. Philippe Beaussant — *Héloïse.*
2764. Daniel Boulanger — *Les jeux du tour de ville.*
2765. Didier Daeninckx — *En marge.*

Impression Bussière Camedan Imprimeries,
à Saint-Amand (Cher),
le 3 novembre 1995.
Dépôt légal : novembre 1995.
1er dépôt légal dans la collection : janvier 1977.
Numéro d'imprimeur : 1/2656.

ISBN 2-07-036911-0. / Imprimé en France.
Précédemment publié par le Mercure de France.
ISBN 2-7152-1348-4

75324